Méthode de français

Fabienne Gallon • Céline Himber • Alice Reboul

www.hachettefle.fr

TV5MONDE

Crédits photographiques et droits de reproduction : voir la page 128.

Tous nos remerciements à :
- TV5MONDE et Évelyne Pâquier ;
- Nelly Mous pour les pages DELF.

Couverture : Nicolas Piroux

Conception graphique : Anne-Danielle Naname – Sylvaine Collart pour les pages d'ouverture, Cultures et Ensemble pour.

Mise en pages : Barbara Caudrelier

Secrétariat d'édition : Astrid Rogge

Illustrations : Gabriel Rebufello. Pages 90, 97, 102 et 110-111 : Aurélien Heckler.

ISBN 978-2-01-401542-3

58, rue Jean Bleuzen, CS 70007, 92178 Vanves Cedex, France.

http://www.hachettefle.fr

Avant-propos

adomania est une méthode qui s'adresse à des adolescents débutant leur apprentissage du français comme langue vivante 1 ou 2.

Adomania 3 couvre la fin du niveau A2 du *Cadre européen commun de référence pour les langues* (CECRL). Prévu pour 50 à 60 heures de cours, le niveau 3 de la méthode prépare au DELF A2.

Adomania, apprendre ensemble

Pour aborder l'apprentissage d'une langue, la notion de groupe est importante : parce qu'une langue sert à **communiquer avec les autres** et parce que les élèves l'apprennent dans une classe, au contact d'autres élèves, et vivent cette aventure **ensemble.**
Pour donner envie aux adolescents d'apprendre le français et les mobiliser dans **une démarche collaborative**, Adomania leur propose **une perspective actionnelle** et les invite à franchir **8 étapes** successives, au parcours balisé de découvertes et d'activités à réaliser le plus souvent en interaction. Chaque étape aborde une thématique différente, proche de leur univers pour susciter leur intérêt, et se termine par la réalisation d'**une tâche collective** pour les maintenir dans **une dynamique d'action**.

Adomania, apprendre facilement

Adomania propose :
- des parcours d'apprentissage courts et clairement repérables au sein des étapes : **1 leçon = 1 double page** ;
- des **documents** – visuels, écrits et oraux – **variés, centrés sur le vécu des adolescents** et complétés par des textes littéraires au niveau 3, pour aborder la langue de manière facile et vivante ;
- un **travail sur la langue clair et contextualisé** qui s'accompagne d'**activités de systématisation** collaboratives ou individuelles, souvent ludiques, regroupées dans une double page d'entraînement ;
- des **tableaux de langue** et des **encadrés de vocabulaire enregistrés** ;
- une page « **Cultures** » inspirée de la presse pour ados et **adaptée au niveau de langue** des élèves ;
- une **tâche collective facile à réaliser en classe** et proche des actions mises en œuvre par les ados dans la vie réelle ;
- un **dispositif d'évaluation complet** avec une évaluation sommative des compétences en réception et en production à la fin de chaque étape et une évaluation de type DELF A2 toutes les deux étapes. Une évaluation formative (autoévaluation) est proposée en fin d'étape dans le cahier d'activités.

Adomania, composants et bonus

En bonus, Adomania 3 offre aux élèves **12 vidéos authentiques**, pour progresser en français et s'ouvrir culturellement. Les fiches d'exploitation des vidéos, rédigées en collaboration avec TV5MONDE, sont disponibles sur le site enseigner.tv5monde.com.

En complément de ce livre de l'élève, le **cahier d'activités** permet de réviser à l'écrit et à l'oral, de s'autoévaluer et de réfléchir sur sa façon d'apprendre (astuces et stratégies). Il propose également 8 ateliers d'écriture. Quant au **guide pédagogique**, il met à disposition tous les corrigés, des conseils méthodologiques et des fiches d'activités photocopiables.
Enfin, le manuel numérique enseignant propose **une fonctionnalité de classe virtuelle**, pour encore plus d'interactivité.

adomania est née de notre réflexion et de notre expérience de professeures de FLE. Nous espérons qu'elle vous aidera, vos élèves et vous, à partager, ensemble, des moments riches en vitamines FLE !

Les auteures

Mode d'emploi d'une étape

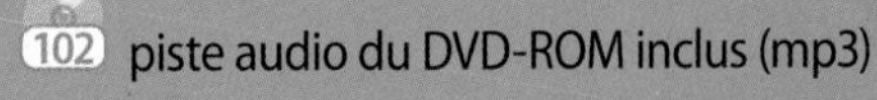

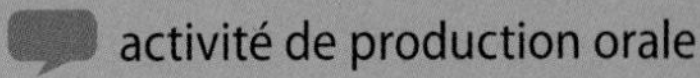

Une page d'ouverture active

Activités d'échauffement

Objectifs pragmatiques

Tâche finale

Contrat d'apprentissage

Trois leçons d'apprentissage

Leçon 1 pour découvrir la thématique et le vocabulaire

Documents oraux et écrits

Production finale en interaction

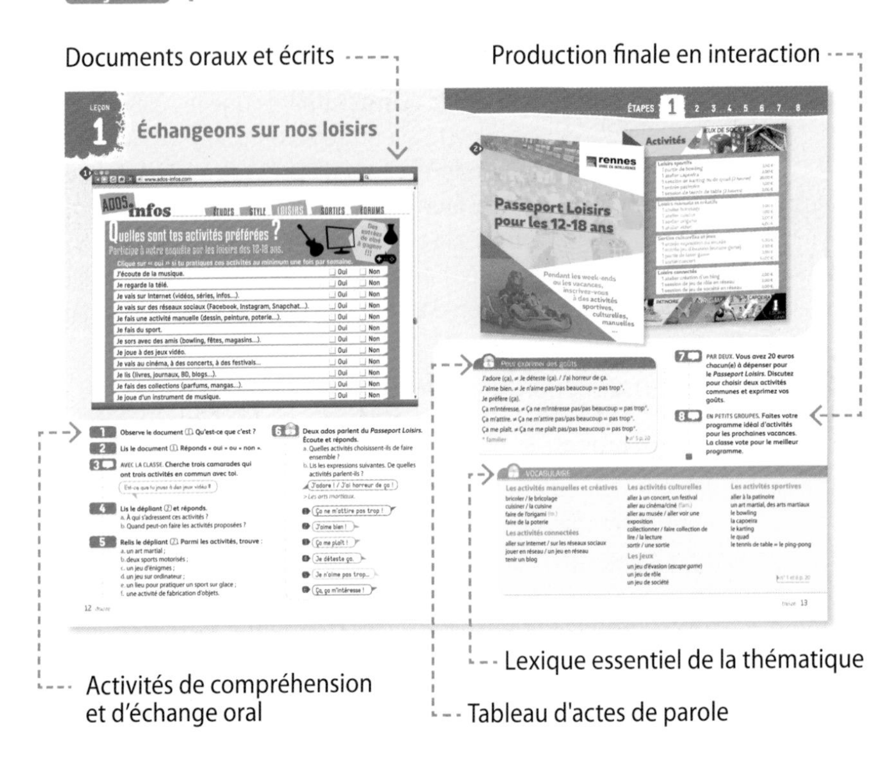

Lexique essentiel de la thématique

Activités de compréhension et d'échange oral

Tableau d'actes de parole

Une double page « Cultures » et « Ensemble pour... »

Rubrique culturelle en lien avec la thématique de l'étape

Activités de compréhension et d'échange

DNL

Tâche collective finale

Co-évaluation de la tâche

Renvoi à la vidéo

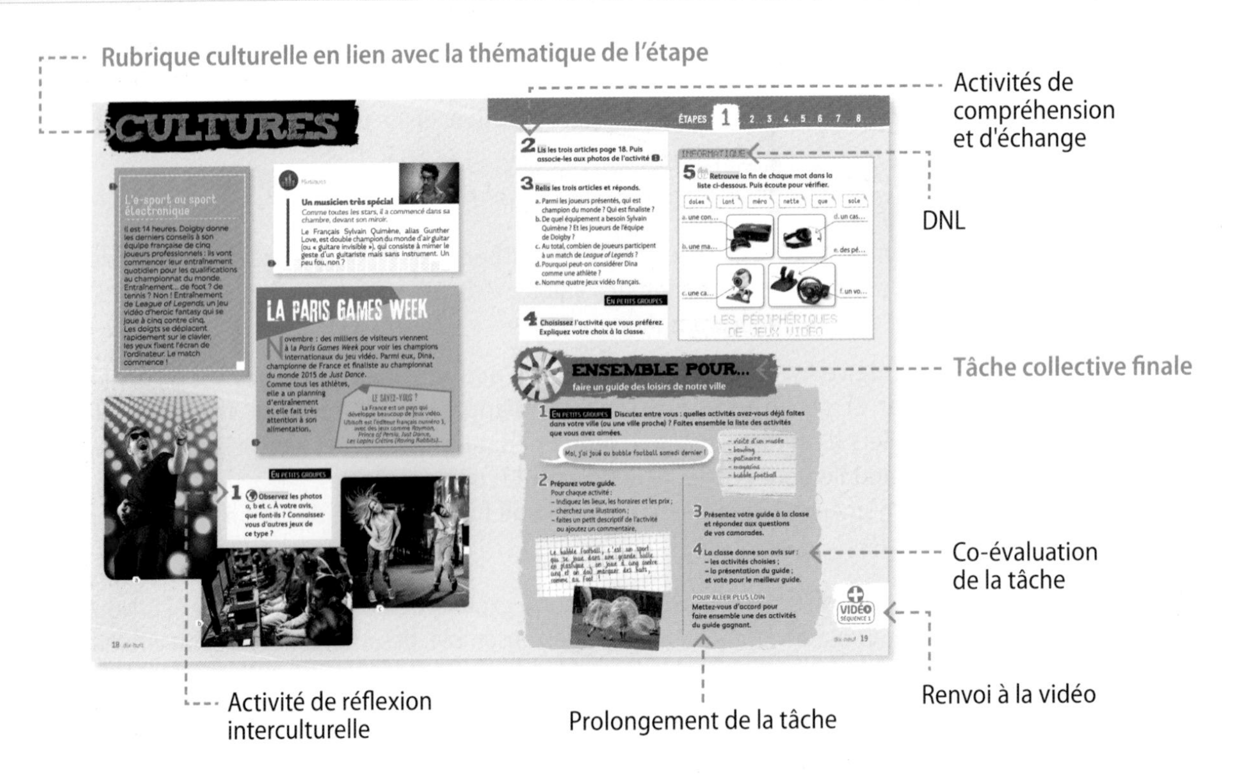

Activité de réflexion interculturelle

Prolongement de la tâche

micro-tâche

exercice d'entraînement collectif à faire en temps limité

VIDÉO renvoi à la vidéo correspondante du DVD-ROM inclus

→ Fiches d'exploitation des vidéos disponibles sur le site de TV5MONDE : www.tv5monde.com rubrique « Enseigner ».

Leçons 2 et 3 pour approfondir la thématique et travailler la langue

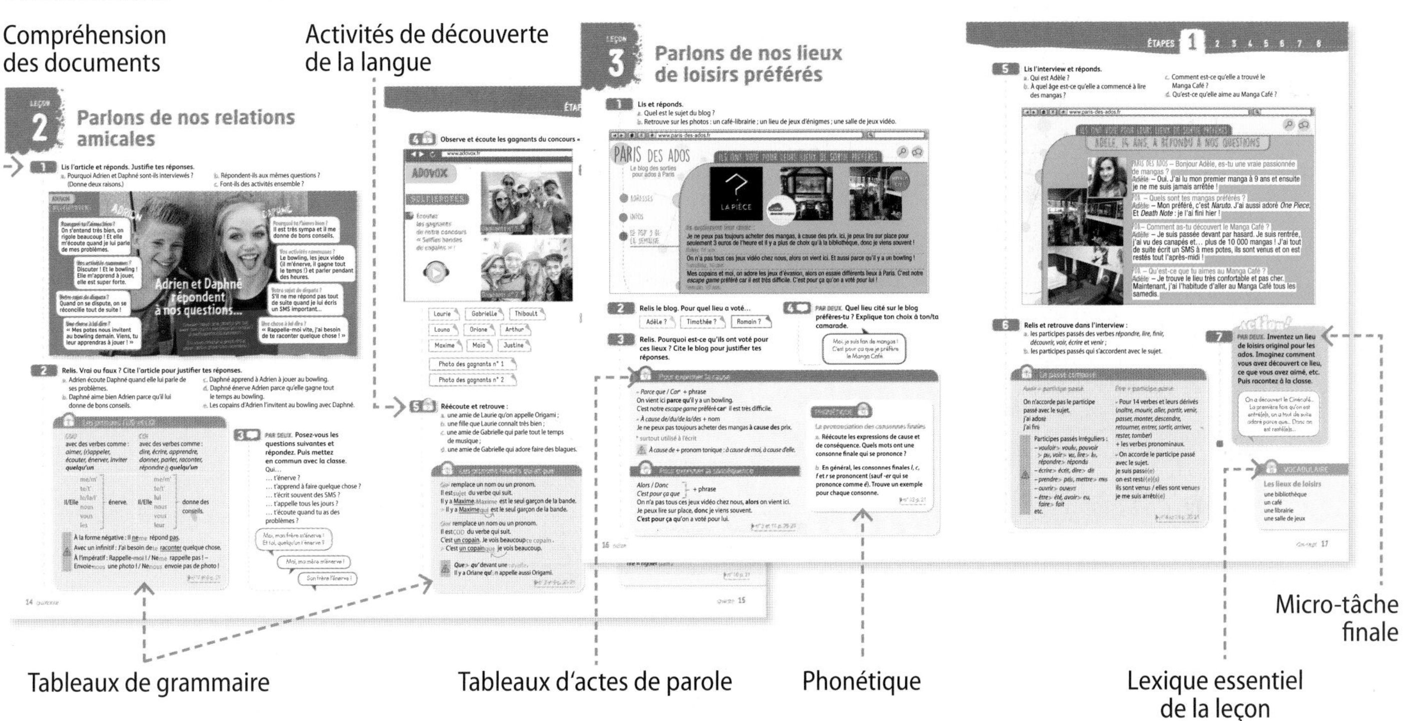

Une double page « Entraînement »

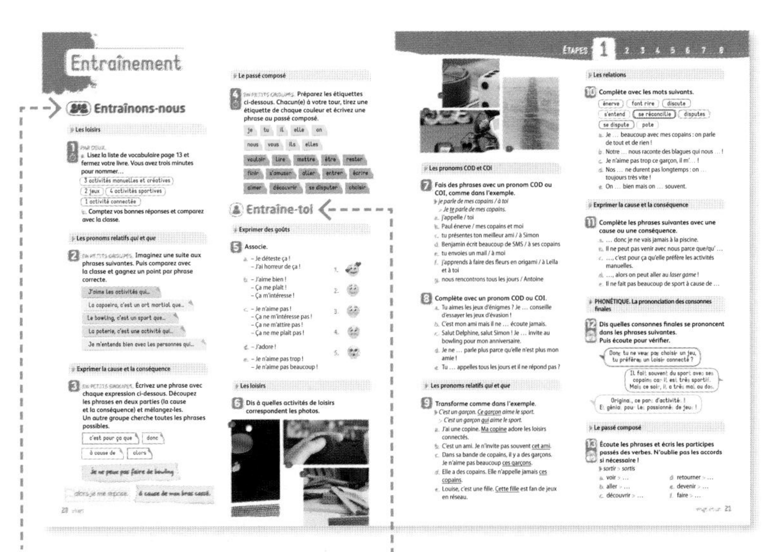

Exercices d'entraînement collectifs

Exercices d'entraînement individuels

+ Une préparation au DELF A2 toutes les deux étapes

Une page d'évaluation

Évaluation des compétences de compréhension (orale et écrite) et de production (orale et écrite). Notée sur 20 points.

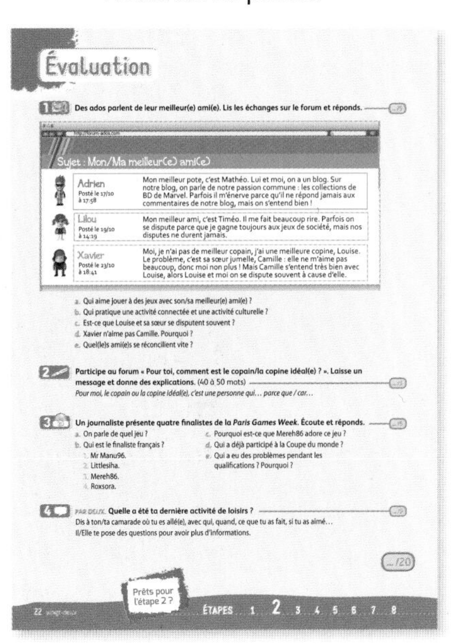

Tableau des contenus

	Apprenons à...	Communication
ÉTAPE 0 p. 8		• Exprimer un vœu • Poser des questions • Parler de soi
ÉTAPE 1 Temps libre p. 11	• Échanger sur nos loisirs • Parler de nos relations amicales • Parler de nos lieux de loisirs préférés **Tâche finale** → faire un guide des loisirs de notre ville	• Exprimer des goûts • Exprimer la cause et la conséquence
ÉTAPE 2 Générations p. 23	• Décrire des objets du passé • Raconter des souvenirs • Comparer avant et maintenant **Tâche finale** → organiser une exposition sur des objets-souvenirs	• Décrire un objet • Exprimer le but
ÉTAPE 3 Ailleurs p. 37	• Situer et décrire des lieux • Donner des nouvelles d'ailleurs • Décrire et défendre des traditions **Tâche finale** → faire un reportage sur notre ville ou notre région	• Situer un lieu • Écrire un mail amical • Situer dans l'espace
ÉTAPE 4 Créations p. 49	• Donner notre avis • Raconter une histoire • Nuancer notre opinion **Tâche finale** → écrire un scénario de fanfiction	• Donner son avis
ÉTAPE 5 Conso p. 63	• Parler de nos habitudes de consommation • Proposer des solutions • Imaginer l'avenir **Tâche finale** → lancer la campagne « Un collège presque zéro déchet »	• Féliciter et exprimer une déception ou une critique • Exprimer un espoir
ÉTAPE 6 Saveurs p. 75	• Parler des aliments et des saveurs • Comparer des types de restauration • Commander au restaurant **Tâche finale** → inventer un distributeur de nourriture pour le collège	• Donner une appréciation sur la nourriture • Passer une commande au restaurant • Demander poliment
ÉTAPE 7 Bien-être p. 89	• Parler de notre bien-être • Parler de nos problèmes et trouver des solutions • Parler de nos expériences les plus fortes **Tâche finale** → organiser au collège une journée contre le stress	• Demander et dire comment on se sent • Demander un conseil • Donner un conseil et rassurer
ÉTAPE 8 Respect ! p. 101	• Parler des bons et des mauvais comportements • Parler des règles à respecter • Exprimer notre engagement **Tâche finale** → réaliser un guide du « mieux vivre ensemble » au collège	• Exprimer son mécontentement • Exprimer l'interdiction, l'autorisation et l'obligation

DELF A2 ▸ Préparation 1 p. 35 | Préparation 2 p. 61 | Préparation 3 p. 87 | Préparation 4 p. 113

Grammaire	Lexique	Phonétique	Cultures
• Les temps et les conjugaisons (révision) • L'accord des adjectifs (révision)	• Quelques interjections • Le genre des noms en *-ment*, *-age* et *-tion* • La description d'une personne		Références culturelles françaises
• Les pronoms COD et COI • Les pronoms relatifs *qui* et *que* • Le passé composé avec *avoir* et *être* (révision)	• Les activités de loisirs • Les lieux de loisirs • Les relations	• La prononciation des consonnes finales	• Loisirs électroniques • DNL > Informatique VIDÉO SÉQUENCE 1
• L'imparfait • Les adjectifs et les pronoms indéfinis • La négation *ne... plus* • *Depuis* et *il y a*	• La description d'objets • Les expressions de temps • Les nouvelles technologies	• La prononciation de *tous*	• *Timescope* : la machine à voyager dans le temps • DNL > Histoire VIDÉO SÉQUENCE 2
• Les prépositions pour indiquer la provenance • Le pronom *y* complément de lieu • Le pronom relatif *où* • Le pronom *on*	• Les lieux • Les paysages • Le patrimoine immatériel • Les chantiers internationaux	• Les sons [ɔ], [o], [œ] et [ø]	• Titouan Lamazou, itinéraire d'un marin artiste • DNL > Géographie VIDÉO SÉQUENCE 3
• *Pendant* • L'imparfait et le passé composé dans un récit • Les adverbes d'intensité (*très, beaucoup, assez, plutôt, (un) peu, pas du tout*) • La mise en relief avec *ce qui* et *ce que*	• Les arts et les genres artistiques • Les appréciations • Les séries et les livres	• La prononciation du passé composé et de l'imparfait	• Détournements artistiques • DNL > Arts plastiques VIDÉO SÉQUENCE 4
• Le passé récent • Les verbes en *-dre* comme *perdre* • Le futur simple (révision) • *Si* + présent	• La consommation • Le développement durable • Les comportements responsables	• L'accent d'insistance (pour exprimer la déception ou des félicitations)	• Stop au gaspillage • DNL > Mathématiques VIDÉO SÉQUENCE 5
• Les verbes comme *servir* et *sentir* • Le verbe *boire* • Le comparatif avec un adjectif, un adverbe et un nom • Le pronom COD *en*	• La nourriture • Les saveurs • Les ustensiles et les condiments • Les lieux de restauration	• La liaison avec le pronom *en*	• L'alimentation des Français : cliché ou pas ? • DNL > Sciences de la vie et de la terre VIDÉO SÉQUENCE 6
• Les verbes prépositionnels • Le superlatif • Les pronoms démonstratifs	• Les cinq sens • Les sensations • Le bien-être • Les petits gestes	• La disparition du *ne* de la négation	• Qu'est-ce qui stresse les collégiens français ? • DNL > Éducation physique et sportive VIDÉO SÉQUENCE 7
• Les adverbes de manière en *-ment* • Les pronoms possessifs • Les verbes *dire*, *lire* et *écrire*	• Les incivilités et le manque de respect • La citoyenneté et les élections • Les espaces publics • Les tâches ménagères	• L'élision en français familier	• Dans le bus ou le métro, stop à l'incivilité ! • DNL > Littérature VIDÉO SÉQUENCE 8

ANNEXES ▸ Francophonie p. 115 Actes de parole p. 116-118 Précis grammatical p. 119 à 125 Tableau de conjugaisons p. 126-127

Testons nos connaissances

1 EN PETITS GROUPES. Révisons nos conjugaisons

a. Lance les dés pour sélectionner un verbe.

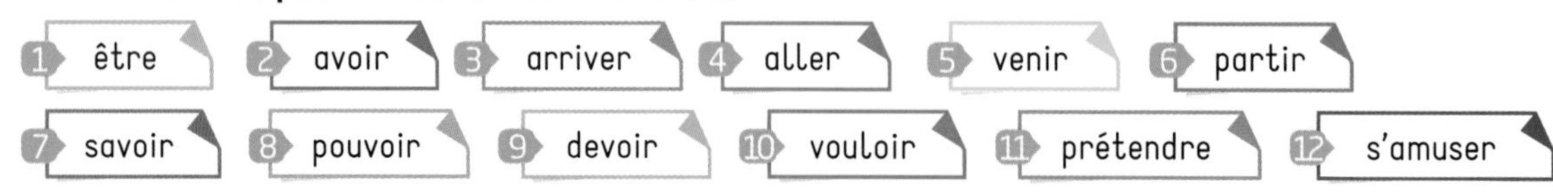

b. Fais tourner ton stylo sur la roue.
Conjugue le verbe à la personne
et au temps donnés.
Jouez chacun(e) à votre tour.

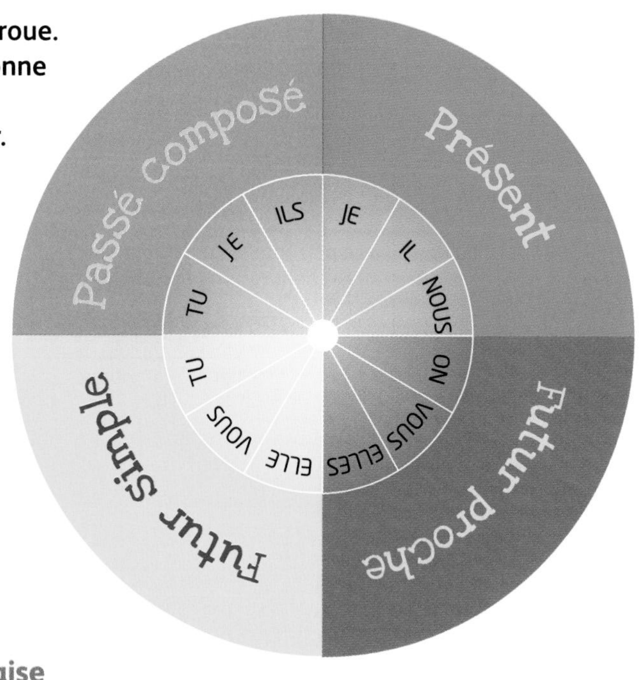

2 Parlons de la culture française

a. Écoute les ados et réponds.

1. Qu'est-ce qui représente la France pour chaque ado ? Associe chaque témoignage à une photo.
2. De quelles autres références culturelles parlent-ils ?

a

b

c

d

e

f

b. EN PETITS GROUPES. Et pour vous, qu'est-ce qui représente la France ? Nommez un plat, un lieu, un livre, un événement et une personne célèbre. Comparez avec les autres groupes.

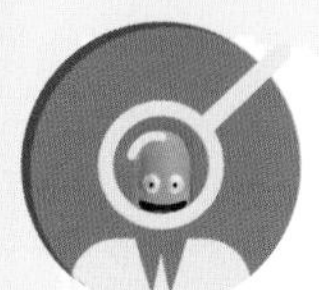

Explorons la langue française

Exprimons un vœu

a. **Écoute et lis les messages. Dans quelles situations peut-on les entendre ? Associe.**

BON VOYAGE !

le 25 décembre | le 1er janvier | quand on a un an de plus | avant un repas | le jour d'un départ en vacances | le jour de la fête des pères ou des mères | avant un examen

b. EN PETITS GROUPES. **Choisis une bulle. Les autres expriment un vœu le plus rapidement possible.**

- Je m'appelle Antoine et c'est la Saint-Antoine aujourd'hui !
- C'est l'heure de monter dans le train !
- Oh, merci pour le cadeau !
- Il est très bon ce sandwich !
- Oh là là ! J'ai peur pour ma compétition de tennis !

Découvrons le genre de certains noms

a. **Écoute les phrases et retrouve deux mots pour chaque catégorie.**

mots avec suffixe *-ment* | mots avec suffixe *-age* | mots avec suffixe *-tion*

> *1. Mot avec suffixe* -tion : natation.

b. **Réécoute. Classe les catégories de mots dans le tableau.**

Masculin	Féminin
mots avec…	…

c. PAR DEUX. **Trouvez le plus rapidement possible deux autres mots pour chaque catégorie.**

3 Utilisons des interjections

a. **Écoute et répète les interjections. Puis associe chaque interjection à un dessin.**

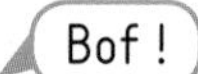

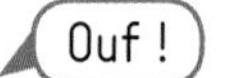

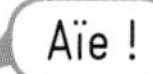

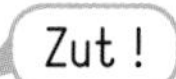

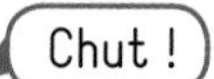

b. PAR DEUX. **Choisissez une interjection et jouez une mini-situation.**

Je suis content de voir ce spectacle ! — Chut, ça commence !

Faisons connaissance

1 Posons-nous des questions personnelles

a. PAR GROUPES DE TROIS. **Choisissez chacun(e) un mot et écrivez une question personnelle à poser à un(e) élève de la classe. Corrigez ensemble vos questions.**

est-ce que | qu'est-ce que | quoi | qui | comment | où | quand | quels | quelle

b. AVEC LA CLASSE. **Mettez toutes les questions dans une boîte ou un chapeau et tirez au sort une question. Répondez.**

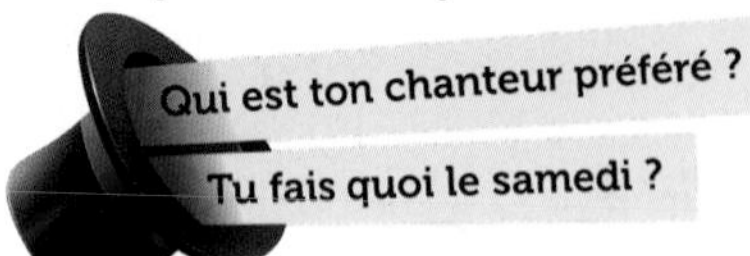

Stromae ! — Je vais à la piscine.

2 Parlons de nous

a. **Complète la fiche d'identité. Écris deux informations vraies et deux informations fausses sur toi.**

b. EN PETITS GROUPES. **Partage tes informations personnelles avec tes camarades. Ils se mettent d'accord pour trouver les informations vraies et fausses.**

Je suis né(e) ...
J'aime ...
Je déteste ...
Je suis ...
- créatif / créative
- patient(e)
- curieux / curieuse
- sportif / sportive
- indépendant(e)
- timide
- rigolo / rigolote
- aventurier / aventurière
- ...

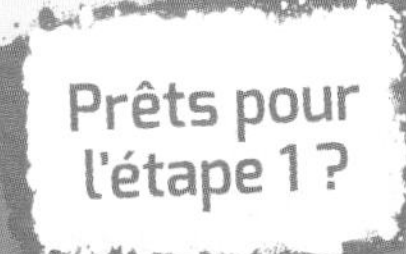

ÉTAPE
1
Temps libre
1 Quelles activités de loisirs aimes-tu faire…
a. seul(e) ?
b. avec tes copains ?
c. avec ta famille ?
2 Quelles activités de loisirs aimerais-tu essayer ?
3 Dans quels lieux aimes-tu sortir ?
Apprenons à…
• échanger sur nos loisirs
• parler de nos relations amicales
• parler de nos lieux de loisirs préférés
Et ensemble…
faisons un guide des loisirs de notre ville
+ VIDÉO
SÉQUENCE 1

LEÇON 1

Échangeons sur nos loisirs

1

www.ados-infos.com

ADOS infos

ÉTUDES STYLE LOISIRS SORTIES FORUMS

Quelles sont tes activités préférées ?

Participe à notre enquête sur les loisirs des 12-18 ans.

Des entrées de ciné à gagner !!!

Clique sur « oui » si tu pratiques ces activités au minimum une fois par semaine.

J'écoute de la musique.	☐ Oui	☐ Non
Je regarde la télé.	☐ Oui	☐ Non
Je vais sur Internet (vidéos, séries, infos...).	☐ Oui	☐ Non
Je vais sur des réseaux sociaux (Facebook, Instagram, Snapchat...).	☐ Oui	☐ Non
Je fais une activité manuelle (dessin, peinture, poterie...).	☐ Oui	☐ Non
Je fais du sport.	☐ Oui	☐ Non
Je sors avec des amis (bowling, fêtes, magasins...).	☐ Oui	☐ Non
Je joue à des jeux vidéo.	☐ Oui	☐ Non
Je vais au cinéma, à des concerts, à des festivals...	☐ Oui	☐ Non
Je lis (livres, journaux, BD, blogs...).	☐ Oui	☐ Non
Je fais des collections (parfums, mangas...).	☐ Oui	☐ Non
Je joue d'un instrument de musique.	☐ Oui	☐ Non

1 **Observe le document 1. Qu'est-ce que c'est ?**

2 **Lis le document 1. Réponds « oui » ou « non ».**

3 AVEC LA CLASSE. **Cherche trois camarades qui ont trois activités en commun avec toi.**

Est-ce que tu joues à des jeux vidéo ?

4 **Lis le dépliant 2 et réponds.**
a. À qui s'adressent ces activités ?
b. Quand peut-on faire les activités proposées ?

5 **Relis le dépliant 2. Parmi les activités, trouve :**
a. un art martial ;
b. deux sports motorisés ;
c. un jeu d'énigmes ;
d. un jeu sur ordinateur ;
e. un lieu pour pratiquer un sport sur glace ;
f. une activité de fabrication d'objets.

6 

Deux ados parlent du *Passeport Loisirs*. Écoute et réponds.
a. Quelles activités choisissent-ils de faire ensemble ?
b. Lis les expressions suivantes. De quelles activités parlent-ils ?

J'adore ! / J'ai horreur de ça !
> *Les arts martiaux.*

1. Ça ne m'attire pas trop !
2. J'aime bien !
3. Ça me plaît !
4. Je déteste ça.
5. Je n'aime pas trop...
6. Ça, ça m'intéresse !

2

rennes
VIVRE EN INTELLIGENCE

Passeport Loisirs pour les 12-18 ans

Pendant les week-ends ou les vacances, inscrivez-vous à des activités sportives, culturelles, manuelles ...

Activités

JEUX DE SOCIÉTÉ
BRICOLAGE

Loisirs sportifs	
1 partie de bowling	2,50 €
1 atelier capoeira	3,00 €
1 session de karting ou de quad *(2 heures)*	20,00 €
1 entrée patinoire	3,00 €
1 session de tennis de table *(2 heures)*	3,00 €

Loisirs manuels et créatifs	
1 atelier bricolage	3,00 €
1 atelier cuisine	3,00 €
1 atelier origami	3,00 €
1 atelier vidéo	4,00 €

Sorties culturelles et jeux	
1 entrée exposition ou musée	5,00 €
1 entrée jeu d'évasion (escape game)	3,50 €
1 partie de laser game	3,50 €
1 sortie concert	10,00 €

Loisirs connectés	
1 atelier création d'un blog	2,00 €
1 session de jeu de rôle en réseau	3,00 €
1 session de jeu de société en réseau	3,00 €

PATINOIRE
ORIGAMI
CAPOEIRA
ESCAPE GAME

Pour exprimer des goûts

J'adore (ça). ≠ Je déteste (ça). / J'ai horreur de ça.
J'aime bien. ≠ Je n'aime pas/pas beaucoup = pas trop*.
Je préfère (ça).
Ça m'intéresse. ≠ Ça ne m'intéresse pas/pas beaucoup = pas trop*.
Ça m'attire. ≠ Ça ne m'attire pas/pas beaucoup = pas trop*.
Ça me plaît. ≠ Ça ne me plaît pas/pas beaucoup = pas trop*.
* familier

n° 5 p. 20

7 PAR DEUX. **Vous avez 20 euros chacun(e) à dépenser pour le *Passeport Loisirs*. Discutez pour choisir deux activités communes et exprimez vos goûts.**

8 EN PETITS GROUPES. **Faites votre programme idéal d'activités pour les prochaines vacances. La classe vote pour le meilleur programme.**

VOCABULAIRE

Les activités manuelles et créatives
bricoler / le bricolage
cuisiner / la cuisine
faire de l'origami (m.)
faire de la poterie

Les activités connectées
aller sur Internet / sur les réseaux sociaux
jouer en réseau / un jeu en réseau
tenir un blog

Les activités culturelles
aller à un concert, un festival
aller au cinéma/ciné (fam.)
aller au musée / aller voir une exposition
collectionner / faire collection de
lire / la lecture
sortir / une sortie

Les jeux
un jeu d'évasion (*escape game*)
un jeu de rôle
un jeu de société

Les activités sportives
aller à la patinoire
un art martial, des arts martiaux
le bowling
la capoeira
le karting
le quad
le tennis de table = le ping-pong

n° 1 et 6 p. 20

LEÇON 2

Parlons de nos relations amicales

Lis l'article et réponds. Justifie tes réponses.

a. Pourquoi Adrien et Daphné sont-ils interviewés ? (Donne deux raisons.)

b. Répondent-ils aux mêmes questions ?

c. Font-ils des activités ensemble ?

ADOVOX
SELFIEPOTES

ADRIEN

Pourquoi tu l'aimes bien ?
On s'entend très bien, on rigole beaucoup ! Et elle m'écoute quand je lui parle de mes problèmes.

Vos activités communes ?
Discuter ! Et le bowling ! Elle m'apprend à jouer, elle est super forte.

Votre sujet de dispute ?
Quand on se dispute, on se réconcilie tout de suite !

Une chose à lui dire ?
« Mes potes nous invitent au bowling demain. Viens, tu leur apprendras à jouer ! »

Adrien et Daphné répondent à nos questions...

Envoie-nous une photo de toi avec ton ou ta meilleur(e) ami(e) à selfiepotes@adovox.fr.

On vous choisira peut-être pour notre prochain numéro !

DAPHNÉ

Pourquoi tu l'aimes bien ?
Il est très sympa et il me donne de bons conseils.

Vos activités communes ?
Le bowling, les jeux vidéo (il m'énerve, il gagne tout le temps !) et parler pendant des heures.

Votre sujet de dispute ?
S'il ne me répond pas tout de suite quand je lui écris un SMS important...

Une chose à lui dire ?
« Rappelle-moi vite, j'ai besoin de te raconter quelque chose ! »

2 **Relis. Vrai ou faux ? Cite l'article pour justifier tes réponses.**

a. Adrien écoute Daphné quand elle lui parle de ses problèmes.

b. Daphné aime bien Adrien parce qu'il lui donne de bons conseils.

c. Daphné apprend à Adrien à jouer au bowling.

d. Daphné énerve Adrien parce qu'elle gagne tout le temps au bowling.

e. Les copains d'Adrien l'invitent au bowling avec Daphné.

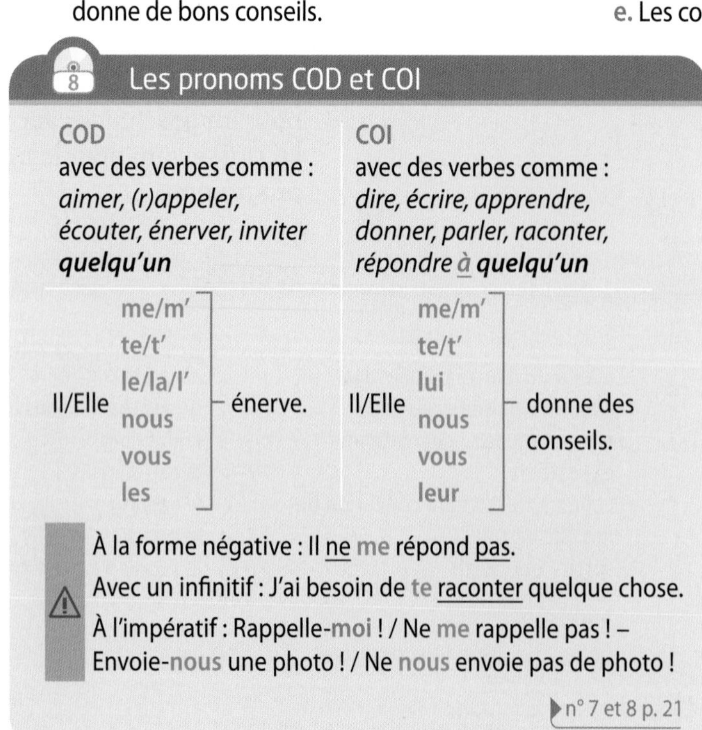

8 Les pronoms COD et COI

COD	COI
avec des verbes comme : *aimer, (r)appeler, écouter, énerver, inviter* ***quelqu'un***	avec des verbes comme : *dire, écrire, apprendre, donner, parler, raconter, répondre à* ***quelqu'un***
Il/Elle me/m', te/t', le/la/l', nous, vous, les – énerve.	Il/Elle me/m', te/t', lui, nous, vous, leur – donne des conseils.

⚠ À la forme négative : Il ne me répond pas.
Avec un infinitif : J'ai besoin de te raconter quelque chose.
À l'impératif : Rappelle-moi ! / Ne me rappelle pas ! – Envoie-nous une photo ! / Ne nous envoie pas de photo !

n° 7 et 8 p. 21

3 PAR DEUX. **Posez-vous les questions suivantes et répondez. Puis mettez en commun avec la classe.**

Qui…

… t'énerve ?

… t'apprend à faire quelque chose ?

… t'écrit souvent des SMS ?

… t'appelle tous les jours ?

… t'écoute quand tu as des problèmes ?

Moi, mon frère m'énerve ! Et toi, quelqu'un t'énerve ?

Moi, ma mère m'énerve !

Son frère l'énerve !

4 Observe et écoute les gagnants du concours « Selfies bandes de copains ». Associe.

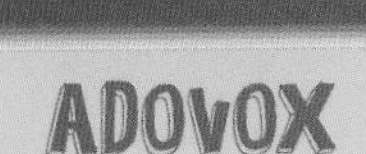

SELFIEPOTES

Écoutez les gagnants de notre concours « Selfies bandes de copains » !

Laurie | Gabrielle | Thibault
Louna | Oriane | Arthur
Maxime | Maïa | Justine

Photo des gagnants n° 1

Photo des gagnants n° 2

5 **Réécoute et retrouve :**

a. une amie de Laurie qu'on appelle Origami ;
b. une fille que Laurie connaît très bien ;
c. une amie de Gabrielle qui parle tout le temps de musique ;
d. une amie de Gabrielle qui adore faire des blagues.

Les pronoms relatifs *qui* et *que*

Qui remplace un nom ou un pronom.
Il est sujet du verbe qui suit.
Il y a Maxime. Maxime est le seul garçon de la bande.
> Il y a Maxime qui est le seul garçon de la bande.

Que remplace un nom ou un pronom.
Il est COD du verbe qui suit.
C'est un copain. Je vois beaucoup ce copain.
> C'est un copain que je vois beaucoup.

Que > *qu'* devant une voyelle.
Il y a Oriane **qu'**on appelle aussi Origami.

n° 2 et 9 p. 20-21

6 PAR DEUX.

a. **Cherche parmi tes amis et ta famille :**
- une personne qui est très bonne en quelque chose ;
- une personne que tu appelles par un surnom ;
- une personne qui fait rire tout le monde ;
- une personne que tu aimes beaucoup.

b. **Présente-les à ton/ta camarade.**

J'ai une amie qui s'appelle Oriane et que j'appelle Origami parce que c'est sa passion !

Action !

7 EN PETITS GROUPES.
Faites un selfie de votre groupe et écrivez un commentaire pour chacun.

Dans notre groupe, il y a Thomas qu'on appelle aussi Toto. Toute la classe l'adore ! Il y a aussi Marta qui est très bonne en maths : elle nous aide tout le temps !

VOCABULAIRE

Les relations

une dispute
un(e) pote (fam.) = un copain, une copine (fam.) = un ami, une amie

discuter avec quelqu'un
énerver quelqu'un
faire une blague / blaguer
faire rire quelqu'un
bien s'entendre ≠ ne pas s'entendre avec quelqu'un
se disputer avec quelqu'un
se réconcilier avec quelqu'un
rire = rigoler (fam.)

n° 10 p. 21

LEÇON 3

Parlons de nos lieux de loisirs préférés

Lis et réponds.

a. Quel est le sujet du blog ?

b. Retrouve sur les photos : un café-librairie ; un lieu de jeux d'énigmes ; une salle de jeux vidéo.

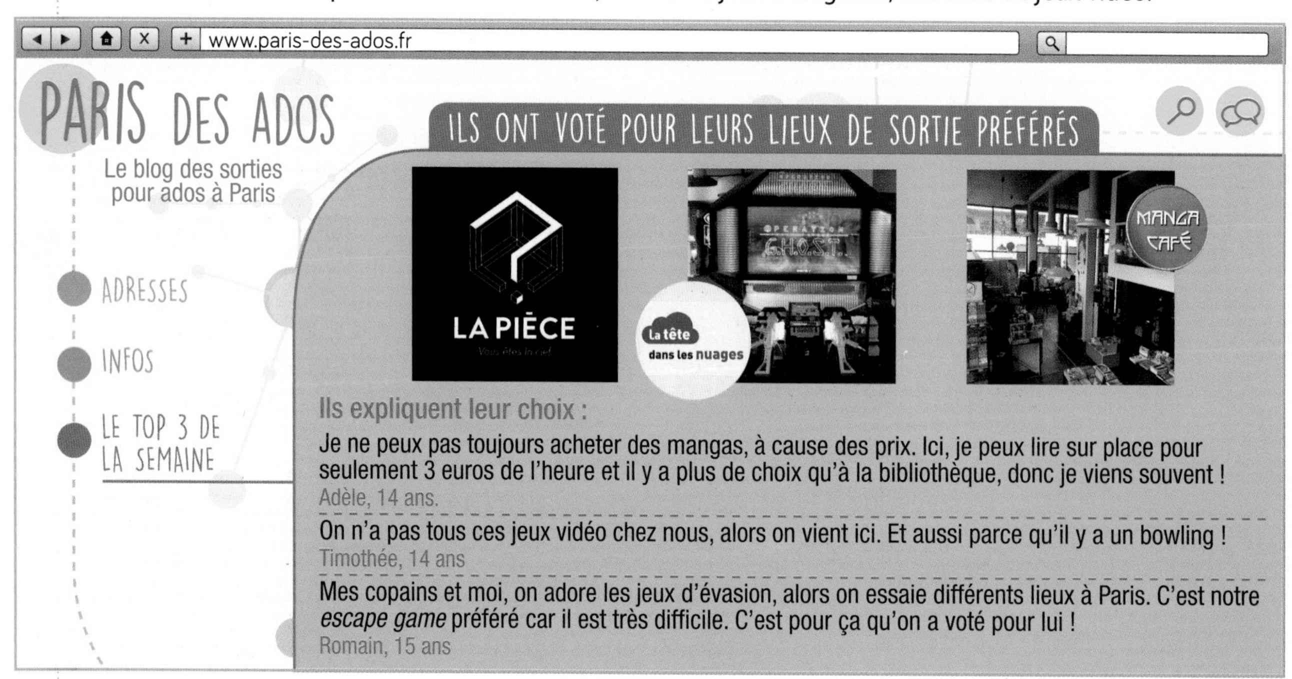

www.paris-des-ados.fr

PARIS DES ADOS

Le blog des sorties pour ados à Paris

ADRESSES

INFOS

LE TOP 3 DE LA SEMAINE

ILS ONT VOTÉ POUR LEURS LIEUX DE SORTIE PRÉFÉRÉS

Ils expliquent leur choix :

Je ne peux pas toujours acheter des mangas, à cause des prix. Ici, je peux lire sur place pour seulement 3 euros de l'heure et il y a plus de choix qu'à la bibliothèque, donc je viens souvent !
Adèle, 14 ans.

On n'a pas tous ces jeux vidéo chez nous, alors on vient ici. Et aussi parce qu'il y a un bowling !
Timothée, 14 ans

Mes copains et moi, on adore les jeux d'évasion, alors on essaie différents lieux à Paris. C'est notre *escape game* préféré car il est très difficile. C'est pour ça qu'on a voté pour lui !
Romain, 15 ans

2 **Relis le blog. Pour quel lieu a voté...**

Adèle ? | Timothée ? | Romain ?

3 **Relis. Pourquoi est-ce qu'ils ont voté pour ces lieux ? Cite le blog pour justifier tes réponses.**

PAR DEUX. **Quel lieu cité sur le blog préfères-tu ? Explique ton choix à ton/ta camarade.**

> Moi, je suis fan de mangas ! C'est pour ça que je préfère le Manga Café.

Pour exprimer la cause

• *Parce que / Car** + phrase

On vient ici **parce qu'**il y a un bowling.

C'est notre *escape game* préféré **car*** il est très difficile.

• *À cause de/du/de la/des* + nom

Je ne peux pas toujours acheter des mangas **à cause des** prix.

* surtout utilisé à l'écrit

⚠ *À cause de* + pronom tonique : *à cause de moi, à cause d'elle.*

Pour exprimer la conséquence

Alors / Donc / *C'est pour ça que* + phrase

On n'a pas tous ces jeux vidéo chez nous, **alors** on vient ici.

Je peux lire sur place, **donc** je viens souvent.

C'est pour ça qu'on a voté pour lui.

▸ n° 3 et 11 p. 20-21

PHONÉTIQUE 

La prononciation des consonnes finales

a. **Réécoute les expressions de cause et de conséquence. Quels mots ont une consonne finale qui se prononce ?**

b. **En général, les consonnes finales *l*, *c*, *f* et *r* se prononcent (sauf *-er* qui se prononce comme *é*). Trouve un exemple pour chaque consonne.**

▸ n° 12 p. 21

5 Lis l'interview et réponds.

a. Qui est Adèle ?
b. À quel âge est-ce qu'elle a commencé à lire des mangas ?
c. Comment est-ce qu'elle a trouvé le Manga Café ?
d. Qu'est-ce qu'elle aime au Manga Café ?

www.paris-des-ados.fr

ILS ONT VOTÉ POUR LEURS LIEUX DE SORTIE PRÉFÉRÉS

ADÈLE, 14 ANS, A RÉPONDU À NOS QUESTIONS

PARIS DES ADOS – Bonjour Adèle, es-tu une vraie passionnée de mangas ?
Adèle – Oui. J'ai lu mon premier manga à 9 ans et ensuite je ne me suis jamais arrêtée !

PDA – Quels sont tes mangas préférés ?
Adèle – Mon préféré, c'est *Naruto*. J'ai aussi adoré *One Piece*. Et *Death Note* : je l'ai fini hier !

PDA– Comment as-tu découvert le Manga Café ?
Adèle – Je suis passée devant par hasard. Je suis rentrée, j'ai vu des canapés et… plus de 10 000 mangas ! J'ai tout de suite écrit un SMS à mes potes, ils sont venus et on est restés tout l'après-midi !

PDA – Qu'est-ce que tu aimes au Manga Café ?
Adèle – Je trouve le lieu très confortable et pas cher. Maintenant, j'ai l'habitude d'aller au Manga Café tous les samedis.

6 Relis et retrouve dans l'interview :

a. les participes passés des verbes *répondre, lire, finir, découvrir, voir, écrire* et *venir* ;
b. les participes passés qui s'accordent avec le sujet.

15 Le passé composé

Avoir + participe passé	*Être* + participe passé
On n'accorde pas le participe passé avec le sujet. j'ai adoré j'ai fini ⚠ Participes passés irréguliers : – *vouloir* > *voulu*, *pouvoir* > *pu*, *voir* > *vu*, *lire* > *lu*, *répondre* > *répondu* – *écrire* > *écrit*, *dire* > *dit* – *prendre* > *pris*, *mettre* > *mis* – *ouvrir* > *ouvert* – *être* > *été*, *avoir* > *eu*, *faire* > *fait* etc.	• Pour 14 verbes et leurs dérivés (*naître, mourir, aller, partir, venir, passer, monter, descendre, retourner, entrer, sortir, arriver, rester, tomber*) + les verbes pronominaux. • On accorde le participe passé avec le sujet. je suis passé(e) on est resté(e)(s) ils sont venus / elles sont venues je me suis arrêté(e)

n° 4 et 13 p. 20-21

7

PAR DEUX. Inventez un lieu de loisirs original pour les ados. Imaginez comment vous avez découvert ce lieu, ce que vous avez aimé, etc. Puis racontez à la classe.

On a découvert le Cinécafé… La première fois qu'on est entré(e)s, on a tout de suite adoré parce que… Donc on est resté(e)s…

16 VOCABULAIRE

Les lieux de loisirs

une bibliothèque
un café
une librairie
une salle de jeux

1

L'e-sport ou sport électronique

Il est 14 heures. Doigby donne les derniers conseils à son équipe française de cinq joueurs professionnels : ils vont commencer leur entraînement quotidien pour les qualifications au championnat du monde. Entraînement... de foot ? de tennis ? Non ! Entraînement de *League of Legends*, un jeu vidéo d'heroic fantasy qui se joue à cinq contre cinq. Les doigts se déplacent rapidement sur le clavier, les yeux fixent l'écran de l'ordinateur. Le match commence !

2

Musiques

Un musicien très spécial

Comme toutes les stars, il a commencé dans sa chambre, devant son miroir.

Le Français Sylvain Quimène, alias Gunther Love, est double champion du monde d'*air guitar* (ou « guitare invisible »), qui consiste à mimer le geste d'un guitariste mais sans instrument. Un peu fou, non ?

3

LA PARIS GAMES WEEK

Novembre : des milliers de visiteurs viennent à la *Paris Games Week* pour voir les champions internationaux du jeu vidéo. Parmi eux, Dina, championne de France et finaliste au championnat du monde 2015 de *Just Dance*.
Comme tous les athlètes, elle a un planning d'entraînement et elle fait très attention à son alimentation.

LE SAVEZ-VOUS ?
La France est un pays qui développe beaucoup de jeux vidéo.
Ubisoft est l'éditeur français numéro 1, avec des jeux comme *Rayman*, *Prince of Persia*, *Just Dance*, *Les Lapins Crétins (Raving Rabbits)*...

a

EN PETITS GROUPES

1 **Observez les photos a, b et c. À votre avis, que font-ils ? Connaissez-vous d'autres jeux de ce type ?**

b

c

2 **Lis les trois articles page 18. Puis associe-les aux photos de l'activité 1.**

3 **Relis les trois articles et réponds.**

a. Parmi les joueurs présentés, qui est champion du monde ? Qui est finaliste ?
b. De quel équipement a besoin Sylvain Quimène ? Et les joueurs de l'équipe de Doigby ?
c. Au total, combien de joueurs participent à un match de *League of Legends* ?
d. Pourquoi peut-on considérer Dina comme une athlète ?
e. Nomme quatre jeux vidéo français.

EN PETITS GROUPES

4 **Choisissez l'activité que vous préférez. Expliquez votre choix à la classe.**

INFORMATIQUE

5 (17) **Retrouve la fin de chaque mot dans la liste ci-dessous. Puis écoute pour vérifier.**

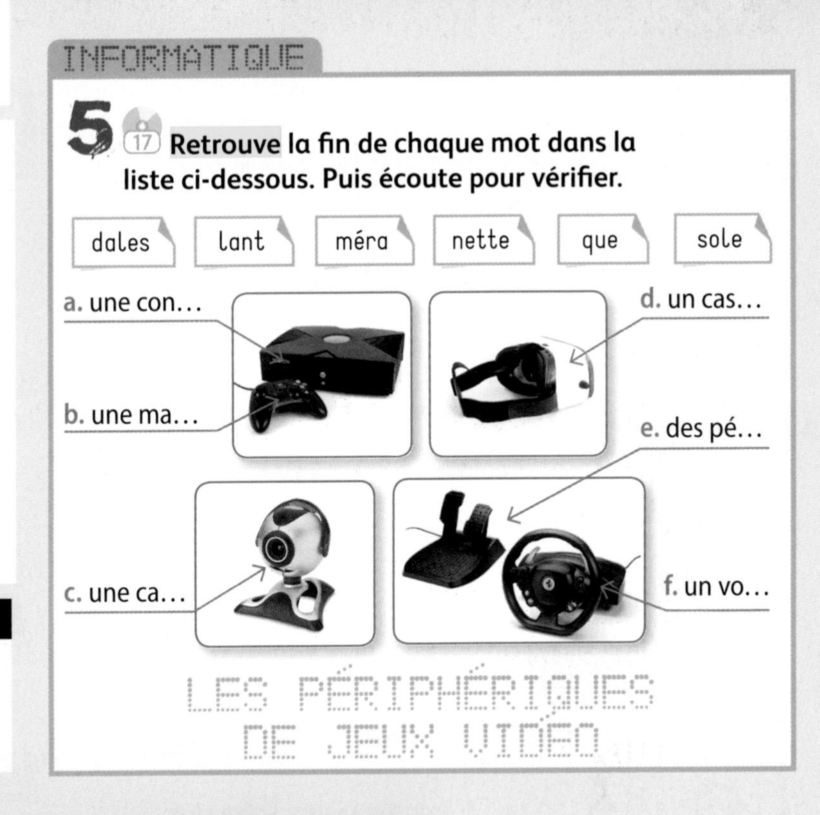

ENSEMBLE POUR…

faire un guide des loisirs de notre ville

1 EN PETITS GROUPES **Discutez entre vous : quelles activités avez-vous déjà faites dans votre ville (ou une ville proche) ? Faites ensemble la liste des activités que vous avez aimées.**

Moi, j'ai joué au bubble football samedi dernier !

- visite d'un musée
- bowling
- patinoire
- magasins
- bubble football
…

2 **Préparez votre guide.**
Pour chaque activité :
– indiquez les lieux, les horaires et les prix ;
– cherchez une illustration ;
– faites un petit descriptif de l'activité ou ajoutez un commentaire.

Le bubble football, c'est un sport qui se joue dans une grande bulle en plastique ; on joue à cinq contre cinq et on doit marquer des buts, comme au foot !

3 **Présentez votre guide à la classe et répondez aux questions de vos camarades.**

4 **La classe donne son avis sur :**
– les activités choisies ;
– la présentation du guide ;
et vote pour le meilleur guide.

POUR ALLER PLUS LOIN
Mettez-vous d'accord pour faire ensemble une des activités du guide gagnant.

Entraînement

Entraînons-nous

Les loisirs

1 PAR DEUX.
a. **Lisez la liste de vocabulaire page 13 et fermez votre livre. Vous avez trois minutes pour nommer…**

3 activités manuelles et créatives
2 jeux
4 activités sportives
1 activité connectée

b. **Comptez vos bonnes réponses et comparez avec la classe.**

Les pronoms relatifs *qui* et *que*

2 EN PETITS GROUPES. **Imaginez une suite aux phrases suivantes. Puis comparez avec la classe et gagnez un point par phrase correcte.**

J'aime les activités qui…
La capoeira, c'est un art martial que…
Le bowling, c'est un sport que…
La poterie, c'est une activité qui…
Je m'entends bien avec les personnes qui…

Exprimer la cause et la conséquence

3 EN PETITS GROUPES. **Écrivez une phrase avec chaque expression ci-dessous. Découpez les phrases en deux parties (la cause et la conséquence) et mélangez-les. Un autre groupe cherche toutes les phrases possibles.**

c'est pour ça que
donc
à cause de
alors

Je ne peux pas faire de bowling
alors je me repose.
à cause de mon bras cassé.

Le passé composé

4 EN PETITS GROUPES. **Préparez les étiquettes ci-dessous. Chacun(e) à votre tour, tirez une étiquette de chaque couleur et écrivez une phrase au passé composé.**

Entraîne-toi

Exprimer des goûts

5 **Associe.**

a. – Je déteste ça !
– J'ai horreur de ça !

b. – J'aime bien !
– Ça me plaît !
– Ça m'intéresse !

c. – Je n'aime pas !
– Ça ne m'intéresse pas !
– Ça ne m'attire pas !
– Ça ne me plaît pas !

d. – J'adore !

e. – Je n'aime pas trop !
– Je n'aime pas beaucoup !

1. 
2.
3. 
4. 
5.

Les loisirs

6 **Dis à quelles activités de loisirs correspondent les photos.**

a
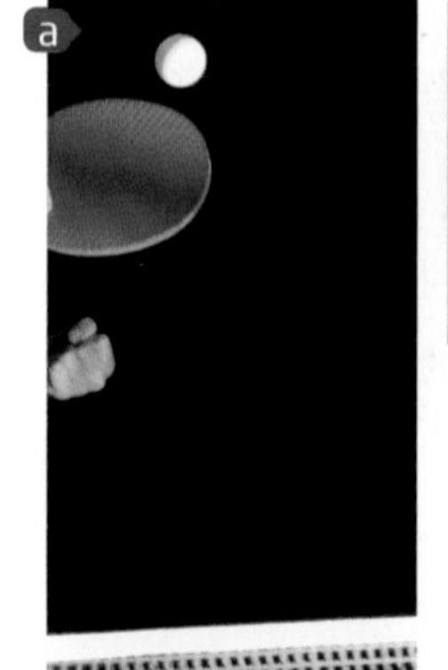

b

c

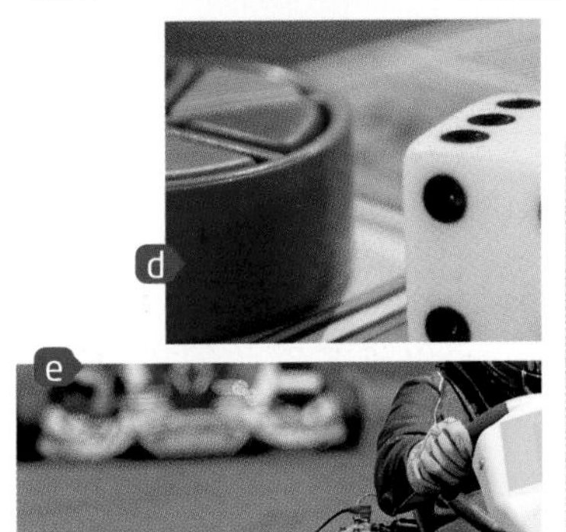

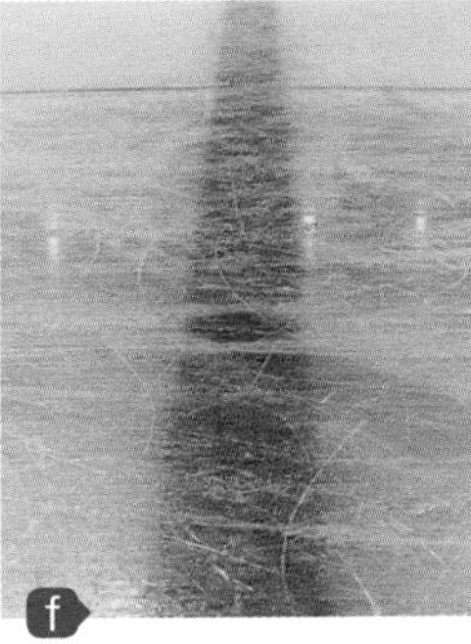

Les pronoms COD et COI

7 Fais des phrases avec un pronom COD ou COI, comme dans l'exemple.

je parle de mes copains / à toi
> *Je te parle de mes copains.*

a. j'appelle / toi
b. Paul énerve / mes copains et moi
c. tu présentes ton meilleur ami / à Simon
d. Benjamin écrit beaucoup de SMS / à ses copains
e. tu envoies un mail / à moi
f. j'apprends à faire des fleurs en origami / à Leïla et à toi
g. nous rencontrons tous les jours / Antoine

8 Complète avec un pronom COD ou COI.

a. Tu aimes les jeux d'énigmes ? Je … conseille d'essayer les jeux d'évasion !
b. C'est mon ami mais il ne … écoute jamais.
c. Salut Delphine, salut Simon ! Je … invite au bowling pour mon anniversaire.
d. Je ne … parle plus parce qu'elle n'est plus mon amie !
e. Tu … appelles tous les jours et il ne répond pas ?

Les pronoms relatifs *qui* et *que*

9 Transforme comme dans l'exemple.

C'est un garçon. Ce garçon aime le sport.
> *C'est un garçon qui aime le sport.*

a. J'ai une copine. Ma copine adore les loisirs connectés.
b. C'est un ami. Je n'invite pas souvent cet ami.
c. Dans sa bande de copains, il y a des garçons. Je n'aime pas beaucoup ces garçons.
d. Elle a des copains. Elle n'appelle jamais ces copains.
e. Louise, c'est une fille. Cette fille est fan de jeux en réseau.

Les relations

10 Complète avec les mots suivants.

énerve | font rire | discute | s'entend | se réconcilie | disputes | se dispute | pote

a. Je … beaucoup avec mes copains : on parle de tout et de rien !
b. Notre … nous raconte des blagues qui nous … !
c. Je n'aime pas trop ce garçon, il m'… !
d. Nos … ne durent pas longtemps : on … toujours très vite !
e. On … bien mais on … souvent.

Exprimer la cause et la conséquence

11 Complète les phrases suivantes avec une cause ou une conséquence.

a. … donc je ne vais jamais à la piscine.
b. Il ne peut pas venir avec nous parce que/qu' …
c. …, c'est pour ça qu'elle préfère les activités manuelles.
d. …, alors on peut aller au *laser game* !
e. Il ne fait pas beaucoup de sport à cause de …

PHONÉTIQUE. La prononciation des consonnes finales

12 (18) **Dis quelles consonnes finales se prononcent dans les phrases suivantes. Puis écoute pour vérifier.**

Donc tu ne veux pas choisir un jeu, tu préfères un loisir connecté ?

Il fait souvent du sport avec ses copains car il est très sportif. Mais ce soir, il a très mal au dos.

Original, ce parc d'activités ! Et génial pour les passionnés de jeux !

Le passé composé

13  (19) **Écoute les phrases et écris les participes passés des verbes. N'oublie pas les accords si nécessaire !**

sortir > sortis

a. voir > …
b. aller > …
c. découvrir > …
d. retourner > …
e. devenir > …
f. faire > …

Évaluation

1 Des ados parlent de leur meilleur(e) ami(e). Lis les échanges sur le forum et réponds. ... /5

http://forum-ados.com

Sujet : Mon/Ma meilleur(e) ami(e)

Adrien
Posté le 17/10 à 17:58

Mon meilleur pote, c'est Mathéo. Lui et moi, on a un blog. Sur notre blog, on parle de notre passion commune : les collections de BD de Marvel. Parfois il m'énerve parce qu'il ne répond jamais aux commentaires de notre blog, mais on s'entend bien !

Lilou
Posté le 19/10 à 14:19

Mon meilleur ami, c'est Timéo. Il me fait beaucoup rire. Parfois on se dispute parce que je gagne toujours aux jeux de société, mais nos disputes ne durent jamais.

Xavier
Posté le 23/10 à 18:41

Moi, je n'ai pas de meilleur copain, j'ai une meilleure copine, Louise. Le problème, c'est sa sœur jumelle, Camille : elle ne m'aime pas beaucoup, donc moi non plus ! Mais Camille s'entend très bien avec Louise, alors Louise et moi on se dispute souvent à cause d'elle.

a. Qui aime jouer à des jeux avec son/sa meilleur(e) ami(e) ?
b. Qui pratique une activité connectée et une activité culturelle ?
c. Est-ce que Louise et sa sœur se disputent souvent ?
d. Xavier n'aime pas Camille. Pourquoi ?
e. Quel(le)s ami(e)s se réconcilient vite ?

2 Participe au forum « Pour toi, comment est le copain/la copine idéal(e) ? ». Laisse un message et donne des explications. (40 à 50 mots)

Pour moi, le copain ou la copine idéal(e), c'est une personne qui… parce que / car…

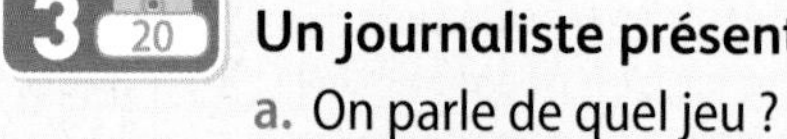

3 Un journaliste présente quatre finalistes de la *Paris Games Week*. Écoute et réponds. ... /5

a. On parle de quel jeu ?
b. Qui est le finaliste français ?
1. Mr Manu96.
2. Littlesiha.
3. Mereh86.
4. Roxsora.

c. Pourquoi est-ce que Mereh86 adore ce jeu ?
d. Qui a déjà participé à la Coupe du monde ?
e. Qui a eu des problèmes pendant les qualifications ? Pourquoi ?

4 PAR DEUX. Quelle a été ta dernière activité de loisirs ? ... /5

Dis à ton/ta camarade où tu es allé(e), avec qui, quand, ce que tu as fait, si tu as aimé…
Il/Elle te pose des questions pour avoir plus d'informations.

Prêts pour l'étape 2 ?

Générations

ÉTAPE 2

1. Tes parents ont eu ton âge en quelle année ?
2. Connais-tu des objets de la génération de tes parents qui ont disparu aujourd'hui ?
3. Quels objets te rappellent de bons souvenirs ?

Apprenons à…
- décrire des objets du passé
- raconter des souvenirs
- comparer avant et maintenant

Et ensemble…
organisons une exposition sur des objets-souvenirs

LEÇON 1

Décrivons des objets du passé

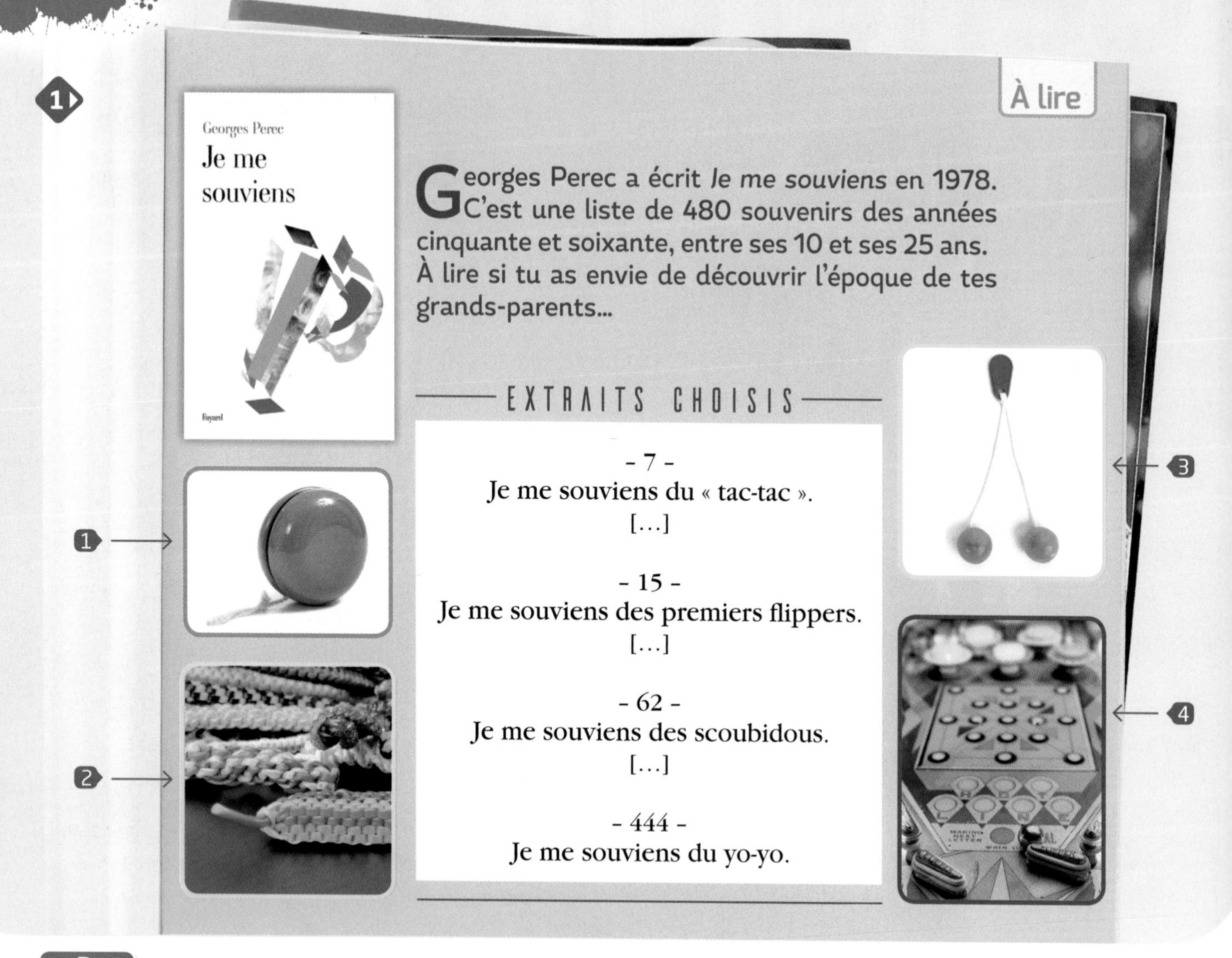

1

À lire

Georges Perec
Je me souviens
Fayard

Georges Perec a écrit *Je me souviens* en 1978. C'est une liste de 480 souvenirs des années cinquante et soixante, entre ses 10 et ses 25 ans. À lire si tu as envie de découvrir l'époque de tes grands-parents...

EXTRAITS CHOISIS

\- 7 -
Je me souviens du « tac-tac ».
[…]

\- 15 -
Je me souviens des premiers flippers.
[…]

\- 62 -
Je me souviens des scoubidous.
[…]

\- 444 -
Je me souviens du yo-yo.

1 → 2 → ← 3 ← 4

1 **Lis l'article ①. Choisis la ou les bonne(s) réponse(s).**

a. Le texte de Georges Perec date…

- des années cinquante
- des années soixante
- des années soixante-dix

b. L'auteur fait une liste…

- d'objets
- de souvenirs d'enfance
- d'événements de l'époque de ses grands-parents

2 **Relis l'article ① et écoute Romain parler du texte de Perec. Réponds.**

a. Romain parle avec qui ? De quoi ?
b. Retrouve les objets sur les photos de l'article.
c. Quels objets connais-tu ?

3 **Réécoute et trouve un objet qui :**

a. est en bois ;
b. est très ancien ;
c. est fluo ;
d. a été à la mode jusqu'à l'arrivée des jeux vidéo ;
e. date des années soixante ;
f. n'est pas très utile.

4 EN PETITS GROUPES. **Citez un objet pour les deux catégories suivantes. Mettez en commun avec la classe et gardez ces objets pour l'activité 8.**

- de l'époque de vos grands-parents
- à la mode aujourd'hui

5 **Lis le quiz ② et réponds.**

a. Ces objets datent de quelle époque ?
b. Trouve le nom des trois premiers objets.

QUIZ

Imagine : tu as la possibilité d'entrer dans une chambre d'ado des années 80-90 et tu découvres ces objets bizarres… Tu les connais ? **Fais le quiz.**

1 Sur le lit, il y a un « baladeur ». C'est un objet rectangulaire qui s'ouvre et qui marche avec des piles. Il permet :

- **a** d'écouter des CD.
- **b** d'écouter des cassettes audio.
- **c** de regarder des cassettes vidéo.

2 Sur le bureau, il y a des petits trucs carrés de toutes les couleurs, en plastique, avec un cercle en métal au centre. Ce sont des « disquettes » ! Mais… quelle est leur fonction ?

- **a** Enregistrer des données informatiques.
- **b** Écouter de la musique.
- **c** Enregistrer des films à la télé.

3 Et ce machin sans fil en forme de brique (mais moins lourd ☺), avec un écran noir et blanc et cinq boutons, à quoi il sert ?

- **a** À écouter de la musique.
- **b** À faire des calculs.
- **c** À jouer à des jeux.

4 Et enfin, tu découvres ce sac en tissu, de forme allongée, moche, mais pratique… Ça s'appelle :

- **a** un sac-ceinture.
- **b** un sac-trousse.
- **c** une banane.

Solutions : 1-b ; 2-a ; 3-c ; 4-c.

GÉNÉRATION ADOS | 19

6 **Relis le quiz ② et trouve :**
a. la forme de chaque objet ;
b. la matière de deux objets.

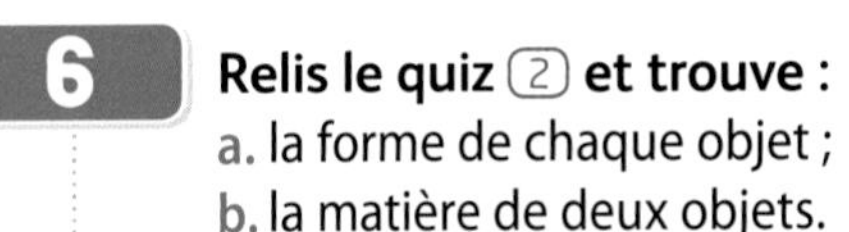

22 Pour décrire un objet

La fonction

À quoi ça/il/elle sert ? / Ça/Il/Elle sert à quoi ?
Quelle est sa fonction ?
> Ça/Il/Elle **sert à** jouer.
> Ça/Il/Elle **permet d'**écouter des cassettes.

La matière

C'/Il/Elle est **en quelle matière** ?
C'/Il/Elle est **en quoi** ?
> C'/Il/Elle est **en** plastique.

La forme

Ça/Il/Elle **a quelle forme** ?
C'/Il/Elle est **en forme de quoi** ?
> C'/Il/Elle est rectangulaire.
> C'/Il/Elle est en forme de brique.

La couleur

C'/Il/Elle est **de quelle couleur** ?
> C'/Il/Elle est **de toutes les couleurs.**

▶ n° 1 et 5 p. 32

7 PAR DEUX. **Faites le quiz ② et comparez vos réponses avec la classe. Puis regardez les solutions.**

8 EN PETITS GROUPES. **Choisissez un objet de votre liste de l'activité ④. Les autres groupes vous posent des questions pour deviner de quoi il s'agit.**

Ça date de quand ?
Ça a quelle forme ?
C'est lourd ?

23 VOCABULAIRE

Les objets

un bouton
un écran
un fil
un objet = un machin (fam.) = un truc (fam.)
une pile

La description

ancien(ne)
bizarre
lourd(e) ≠ léger, légère
moche (fam.)
pratique
sans fil
utile

La couleur

de toutes les couleurs
fluorescent(e) = fluo

La forme

une brique
un cercle
allongé(e)
carré(e)
rectangulaire

La matière

le bois
le métal
le plastique
le tissu

Les expressions de temps

à l'époque (de mes parents)
ça date de 1982 / des années quatre-vingts
(dans) les années quatre-vingts
dans mon enfance
jusqu'à (l'arrivée) / jusqu'en (1980)

▶ n° 1, 5 et 6 p. 32

Racontons des souvenirs

1 Lis le forum et réponds.

a. Quel est le thème de la discussion ?

b. À qui les internautes posent-ils des questions ?

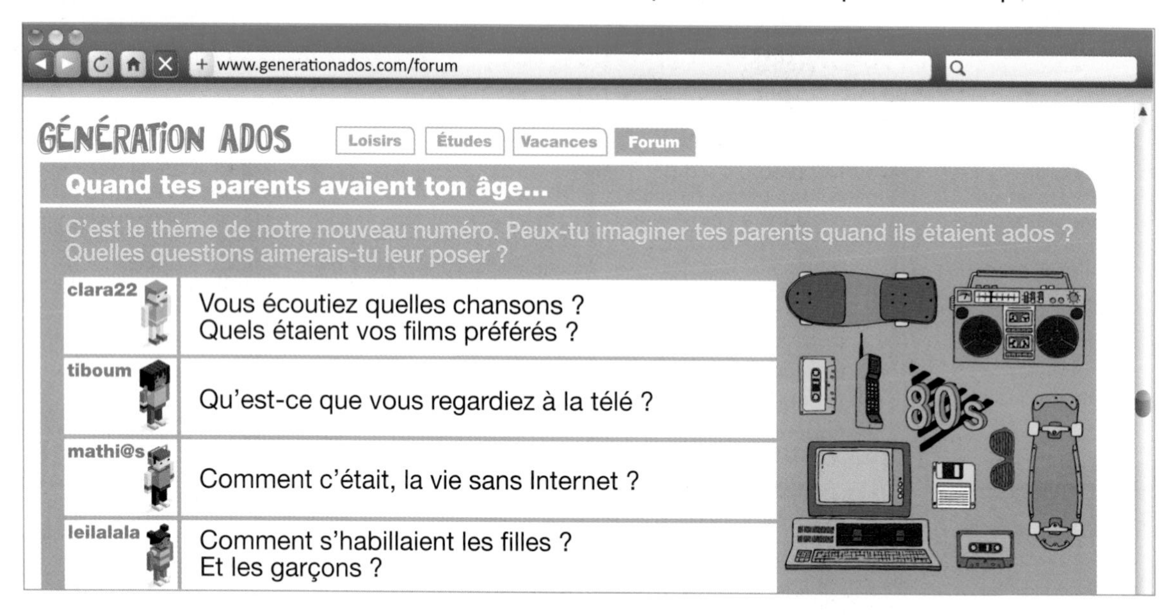

2 Relis le forum et choisis la ou les bonne(s) réponse(s). Justifie tes choix.

a. On parle d'une époque…

passée | présente | future

b. Les questions portent sur…

des habitudes | des événements | des descriptions

24 L'imparfait

On l'utilise pour parler d'habitudes passées ou pour faire une description au passé.

Formation : **radical de la 1re personne du pluriel au présent** + **terminaisons**.

Exemple : *avoir* au présent = *nous avons*.

j'**avais**	nous **avions**
tu **avais**	vous **aviez**
il/elle/on **avait**	ils/elles **avaient**

⚠ Être > j'**étais**, tu **étais**, il/elle/on **était**…

▶ n° 2 et 7 p. 32-33

3 Imagine trois autres questions à poser à tes parents sur leur adolescence. Utilise l'imparfait. Puis mets en commun avec la classe. Quelles questions reviennent souvent ?

4 Lis le témoignage. Qui l'a écrit ? À quelles questions du forum répond la personne ?

Vos parents témoignent

Quand j'avais 14 ans, je me souviens que tout le monde écoutait Michael Jackson ou Madonna. On enregistrait toutes leurs chansons quand elles passaient à la radio et on les écoutait sur notre baladeur. On avait aussi des films cultes qu'on adorait revoir plusieurs fois, par exemple *La Boum* (je savais tout sur Sophie Marceau !) et *Le Grand Bleu*. On était aussi tous fans d'Indiana Jones ! On louait des cassettes vidéo : chacun choisissait son film préféré et on allait les regarder chez les copains ; plusieurs d'entre nous avaient un magnétoscope. Mais quelques-uns seulement avaient un ordinateur à la maison ! Et bien sûr, à l'époque, on ne pouvait pas regarder de films sur un ordinateur…

Frédéric, 46 ans, père de Noé, 14 ans.

GÉNÉRATION ADOS | 21

5 Relis le témoignage page 26 et associe. Justifie tes réponses.

a. Tous les ados… b. Un petit nombre d'ados… c. Plus de deux ados…

1 avaient…

3 avaient…

4 aimaient…

2 écoutaient…

25 Les adjectifs et les pronoms indéfinis

Adjectif + nom

Tout le monde / Toute la famille était fan d'Indiana Jones.
Tous mes copains / Toutes les filles écoutaient Michael Jackson.
Chaque ado choisissait son film préféré.
Plusieurs ados avaient un magnétoscope.
= *plus de deux ados*
Quelques copains avaient un ordinateur à la maison.
= *un petit nombre de copains*

Pronom

On était tous/toutes fans d'Indiana Jones.
On savait tout sur Sophie Marceau.
Chacun/Chacune choisissait son film préféré.
Plusieurs d'entre nous avaient un magnétoscope.
Quelques-uns/Quelques-unes avaient un ordinateur à la maison.

n° 8 et 9 p. 33

PHONÉTIQUE 26

La prononciation de *tous*

Écoute. Quand est-ce qu'on prononce le *s* de *tous* ?

n° 10 p. 33

6 EN PETITS GROUPES.

a. **Trouvez dans votre groupe…**

- un film que plusieurs d'entre vous ont vu
- un objet que tout le monde a
- une chanson que chacun connaît
- une célébrité que quelques-uns d'entre vous aiment, mais pas tous

b. **Mettez en commun avec la classe.**

Dans notre groupe, tout le monde a un téléphone portable !

Action!

7 EN PETITS GROUPES.

Imaginez : nous sommes en 2046. Vous écrivez au magazine *Génération Ados* pour raconter vos souvenirs d'ados. Comparez votre témoignage avec les autres groupes. Avez-vous les mêmes souvenirs, les mêmes films ou chansons cultes, etc. ?

27 VOCABULAIRE

Les souvenirs

se souvenir de (+ *nom*) / se souvenir que (+ *phrase*)
une chanson culte / un film culte
un magnétoscope

LEÇON 3

Comparons avant et maintenant

Lis la page Internet. Qu'est-ce qu'elle présente ?

a. Des actions qu'on n'a jamais faites.
b. Des actions qu'on faisait seulement avant.
c. Des actions qu'on fait plus qu'avant.

www.instantbuzz.com

Instantbuzz

Histoires | Photos | Vidéos

5 choses qu'on ne fait plus aujourd'hui

1 On n'enregistre plus de chansons à la radio.
2 On n'écrit plus de lettres.
3 On n'a plus besoin de se souvenir d'un numéro de téléphone.
4 On ne se perd plus dans les villes.
5 On n'utilise plus de cabines téléphoniques.

À LIRE AUSSI :
10 choses qu'on ne faisait jamais avant
10 objets qui ne servent plus à rien aujourd'hui
10 choses que personne ne pouvait imaginer en 1990

Relis la page Internet. Es-tu d'accord : est-ce qu'on ne fait plus ces choses ? Connais-tu des personnes qui les font encore ?

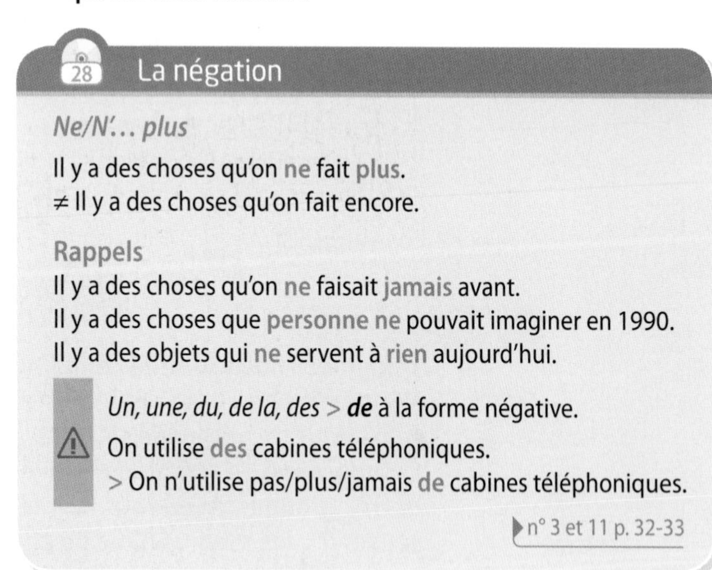

28 La négation

Ne/N'... plus
Il y a des choses qu'on ne fait plus.
≠ Il y a des choses qu'on fait encore.

Rappels
Il y a des choses qu'on ne faisait jamais avant.
Il y a des choses que personne ne pouvait imaginer en 1990.
Il y a des objets qui ne servent à rien aujourd'hui.

Un, une, du, de la, des > ***de*** à la forme négative.
On utilise des cabines téléphoniques.
> On n'utilise pas/plus/jamais de cabines téléphoniques.

n° 3 et 11 p. 32-33

EN PETITS GROUPES.

a. **Faites une liste de :**
– deux choses qu'on ne faisait jamais avant ;
– deux objets qui ne servent plus à rien aujourd'hui ;
– deux choses que personne ne pouvait imaginer en 1990.

b. **Puis mettez en commun avec la classe.**

Observe la page Internet et écoute. Qu'est-ce que c'est ?

a. Une émission sur la science-fiction.
b. Une émission sur les changements technologiques.
c. Une émission sur les téléphones portables.

www.instantbuzz.com

Instantbuzz

Vidéos

Il y a environ trente ans, ça existait seulement dans les films. Depuis l'arrivée des nouvelles technologies, ce n'est plus de la science-fiction, c'est la réalité !

360 partages | Il y a 3 jours

5 **Réécoute et réponds.**

a. Quels sont les changements importants depuis les années quatre-vingt-dix ?
b. Est-ce qu'Internet existait avant 1994 ?
c. Qu'est-ce qu'on ne pouvait pas faire il y a plusieurs décennies, avant l'arrivée des téléphones portables ?
d. À quoi servaient les portables avant 2007 ?
e. Pour les ados d'aujourd'hui, les écrans tactiles, le GPS et la 3D, ça existe depuis quand ?

Depuis et *il y a*

• ***Il y a*** **+ quantité de temps**

Pour situer un événement dans le passé.
Il y a s'utilise avec un temps du passé.
Il y a trente ans, ça existait seulement dans les films.
Il y a plusieurs décennies, on ne pouvait pas s'appeler dans la rue.

• ***Depuis*** **+ date, quantité de temps ou événement**

Pour indiquer le point de départ dans le passé d'une action qui continue dans le présent.
Internet existe **depuis 1994**.
Internet existe **depuis plus de vingt ans**.
Tout est différent **depuis l'arrivée des téléphones portables**.

n° 4 et 12 p. 32-33

6 **Réécoute. Depuis les années 2000, on utilise Internet dans quel but ?**

Pour exprimer le but

Pour **+ infinitif**
On utilise Internet **pour** écouter de la musique.

Pour **+ nom**
On utilise Internet **pour** les courses.

n° 13 p. 33

7 **Observe. Dis ce qu'on faisait avant et ce qu'on fait maintenant, comme dans l'exemple.**

> Il y a environ 20 ans, pour s'informer, on cherchait dans une encyclopédie. Depuis 1998, on peut utiliser Google.

a
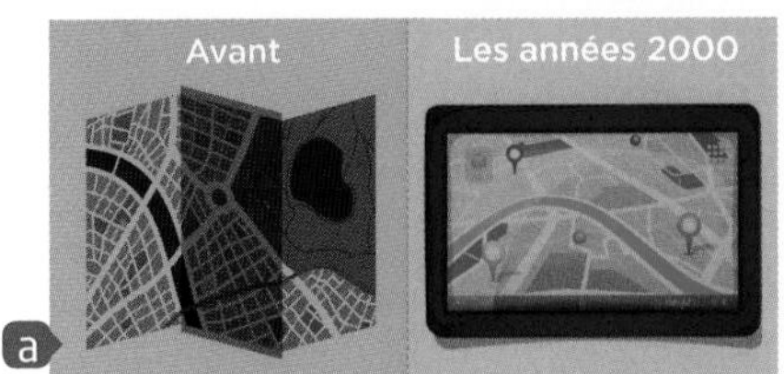

b
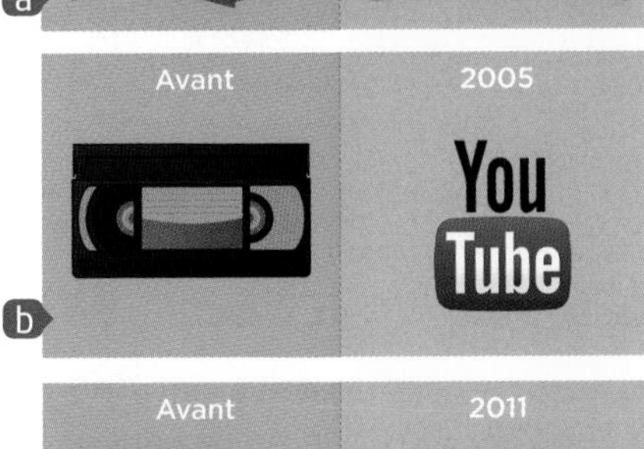

c

Action !

8 EN PETITS GROUPES. **Faites une liste de cinq choses que vous faisiez quand vous étiez enfants (entre 5 et 10 ans) et que vous ne faites plus. Puis mettez en commun avec la classe et sélectionnez dix choses. Préparez un article intitulé « 10 choses qu'on ne fait plus ».**

On ne prend plus le téléphone de nos parents depuis deux ans.
Il y a quatre ans, on ne sortait pas sans nos parents, mais maintenant...

VOCABULAIRE

Les expressions de temps
une décennie
aujourd'hui
avant
environ (30 ans)
(depuis) longtemps
maintenant

Les nouvelles technologies
un écran tactile
un GPS
un smartphone
la 3D / en 3D

CULTURES

TECHNOLOGIES

TIMESCOPE : LA MACHINE À VOYAGER DANS LE TEMPS

La Bastille en 1416 ou le matin du 14 juillet 1789, comme en vrai ! Deux ingénieurs parisiens ont inventé la première borne de réalité virtuelle de rue pour voyager dans le temps. Ce n'est plus un rêve !

***Timescope*, à quoi ça sert ?**

Vous n'avez jamais rêvé de voir comment était votre ville il y a plusieurs siècles ? C'est maintenant possible. Depuis mars 2016, *Timescope* permet de voir comment était un lieu avant.

***Timescope*, c'est comment ?**

Ce sont des jumelles bizarres avec un casque de réalité virtuelle et un écran tactile. Elles tournent à 360 degrés. Vous choisissez une date sur l'écran et elles vous transportent dans le paysage de l'époque, en 3D. À vous de choisir l'époque !

***Timescope*, c'est où ?**

On a installé le premier *Timescope* sur la place de la Bastille à Paris. « La Bastille est le lieu parfait pour cette expérience ! On retrouve un monument qui n'existe plus aujourd'hui : la prison comme elle était à l'époque du Moyen Âge ou de la Révolution, c'est génial ! » explique un touriste, content de son « voyage » dans le passé.

La place de la Bastille avant...

... et maintenant !

SOUVENEZ-VOUS !

La prison de la Bastille était une forteresse située à la campagne, à l'extérieur de Paris, à l'endroit de l'actuelle place de la Bastille. La prise de la Bastille, le matin du 14 juillet 1789, est à l'origine de la Révolution française et de la Déclaration des droits de l'homme et du citoyen. C'est en souvenir de cet événement qu'on a choisi la date du 14 juillet pour célébrer la fête nationale française.

73

EN PETITS GROUPES

1 **À quelle époque ou à quel siècle rêvez-vous de voyager ? Pourquoi ? Mettez en commun avec la classe. Quelles époques/Quels siècles ont le plus de succès ?**

2 **Lis l'article. Qu'est-ce que le *Timescope* ? Explique, puis décris l'objet.**

3 **Relis. Vrai ou faux ? Justifie tes réponses.**

a. Le *Timescope* existait avant 2016.
b. Avec le *Timescope*, on ne peut pas choisir à quelle époque on veut voyager.
c. Avec le *Timescope*, on peut voir des bâtiments qui n'existent plus aujourd'hui.

HISTOIRE

4 a. Retrouve dans l'article page 30 une époque et un événement de l'histoire. Associe-les aux siècles suivants.

le XVIIIe siècle | le XVe siècle

b. Pourquoi est-ce qu'on célèbre la fête nationale française le 14 juillet ?

c. Quel texte important date de la Révolution française ?

EN PETITS GROUPES

5 Imaginez : vous voyez votre ville à travers le *Timescope*. À quelle(s) époque(s) ? Comment c'était, qu'est-ce qu'il y avait avant et qu'il n'y a plus maintenant ? Racontez à la classe.

ENSEMBLE POUR...

organiser une exposition sur des objets-souvenirs

1 EN PETITS GROUPES Apportez des objets ou des photos d'objets qui vous rappellent un souvenir. Mettez-les en commun. Chacun(e) raconte ses souvenirs.

Voici des bonbons que j'adorais quand j'avais 10 ans. Je les achetais avec mon argent de poche à la sortie de l'école...

2 Sélectionnez les objets que vous préférez et regroupez-les en fonction de leurs points communs (type d'objet, type de souvenir). Prenez des photos originales.

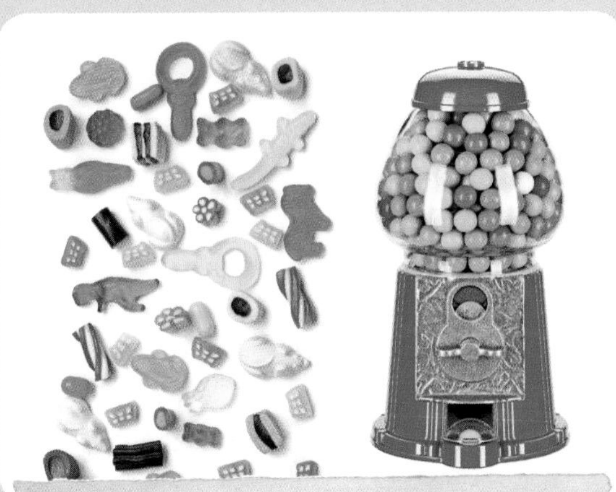

On se souvient des bonbons de notre enfance.

3 Écrivez une liste de « Je me souviens » pour chaque photo.

Je me souviens qu'ils étaient de toutes les couleurs et en forme d'animaux.

Je me souviens que j'achetais ces chewing-gums à la sortie de l'école. C'était il y a 4 ans, j'avais 10 ans...

4 Organisez une exposition dans la classe avec toutes les photos et tous les textes.
La classe donne son avis sur :
– les photos ;
– les textes.

POUR ALLER PLUS LOIN
Traduisez vos textes dans votre langue et organisez une exposition dans le collège.

Entraînement

Entraînons-nous

Décrire un objet

1 PAR DEUX. **Choisis une étiquette et dis le nom de trois objets qui ont cette caractéristique. Ton/Ta camarade devine leur caractéristique commune.**

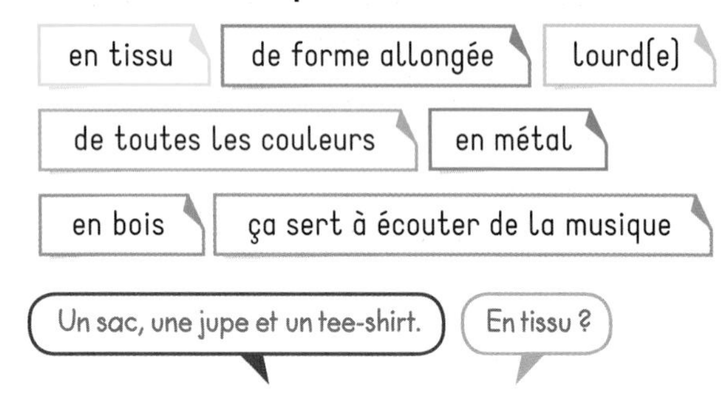

L'imparfait

2 (33) EN PETITS GROUPES. **Écoute le présent des verbes suivants et écris l'imparfait correspondant à la personne donnée. Puis compare avec tes camarades. Qui a trouvé le plus de réponses correctes ?**

a. je… d. elle… g. vous…
b. tu… e. on… h. ils…
c. il… f. nous… i. elles…

La négation

3 EN PETITS GROUPES. **Jouez au jeu de l'oie. Pour chaque case, chaque joueur fait une phrase avec les indications données.**

1 Départ	2 *ne… plus*	3 *personne ne…*	4 *ne… plus de*	5 *ne… jamais de*
				6 *ne… rien*
	12 Arrivée			7 Rejoue !
	11 Retourne case 7	10 *rien ne…*	9 *ne… personne*	8 *ne… jamais*

Depuis et il y a

4 EN PETITS GROUPES. **Invente une question avec *depuis* et une question avec *il y a*, comme dans l'exemple. Puis pose chaque question à un(e) camarade. Il/Elle répond et pose ses questions à son tour.**

Tu as ton téléphone depuis quand ?

Tu habitais où il y a trois ans ?

Entraîne-toi

Décrire un objet

5 (34) **Écoute les devinettes et trouve les objets correspondants. Décris l'objet qui reste.**

1 une cassette audio

2 une pile

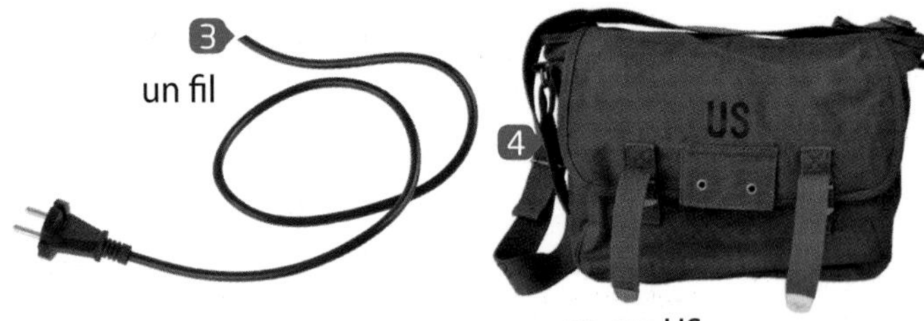
3 un fil
4 un sac US

Les expressions de temps

6 **Choisis la réponse correcte.**

a. Cet objet a existé *jusqu'en 1992 / des années 90 / l'époque de mes parents.*
b. Les téléphones portables n'existaient pas *des années 70 / à l'époque / les années 80.*
c. Ce film date *de 1990 / dans les années 80 / jusqu'en 1992.*
d. Ma mère est née *des années 90 / dans mon enfance / dans les années 80.*
e. C'est un sac que ma mère a beaucoup utilisé *les années 80 / de l'époque de ses grands-parents / dans les années 90.*

L'imparfait

7 Transforme comme dans l'exemple.

Nous écoutons du rock tous les jours.
> *Nous écoutions du rock tous les jours.*

a. Au collège, on a cours jusqu'à 17 heures.
b. Les filles portent des blousons en jean.
c. C'est la mode du Rubik's Cube.
d. Nous mettons nos affaires de cours dans un sac US.
e. Je prends des cassettes vidéo à la vidéothèque.
f. Vous faites beaucoup de sport au collège ?

Les adjectifs et les pronoms indéfinis

8 Choisis la ou les bonne(s) réponse(s).

a. Tu connais *quelques / quelques-uns / quelques-unes* chansons cultes de l'époque de tes grands-parents ?
b. J'ai vu les premiers films de Sophie Marceau *toutes les / plusieurs / chaque* fois.
c. Mes parents ont *tous les / chaque / quelques-uns* albums de Michael Jackson.
d. Il y avait un ordinateur dans *chacune / toutes / chaque* famille ?
e. J'avais *plusieurs / quelques / chaque* copains qui n'avaient pas de baladeur.

9 Complète avec *tout (le/l'), toute (la/l'), tous (les)* ou *toutes (les)*.

a. Tu avais … disques de Prince ?
b. … classe voulait le même sac que moi !
c. Les chansons de The Cure, je les connaissais … par cœur.
d. Les premiers *Star Wars*, je les ai … vus à cette époque !
e. Je voulais … savoir sur Madonna.
f. Il y avait seulement cinq ordinateurs pour … collège !

PHONÉTIQUE. La prononciation de *tous*

10 (35) Lis les couples de phrases. Dans lesquelles prononces-tu le *s* de *tous* ? Écoute pour vérifier.

a
On avait tous le même sac.
Tous les ados avaient le même sac.

b
Cette émission, ils la regardaient tous ?
Tous tes amis regardaient cette émission ?

c
Tous mes copains étaient fans de ce chanteur !
Mes copains étaient tous fans de ce chanteur !

d
Tous ces vieux objets sont à toi ?
Ces vieux objets sont tous à toi ?

La négation

11 Dis le contraire de ces phrases. Utilise *ne… plus (de), ne… jamais (de), ne… rien / rien ne…* ou *ne… personne / personne ne…*

a. Tout le monde avait un magnétoscope.
b. Ça sert à quelque chose ?
c. Cet objet existe encore aujourd'hui.
d. Avant, nous écoutions toujours la même musique.
e. Vous avez encore des copains d'enfance ?

Depuis et *il y a*

12 Réponds aux questions avec *depuis* ou *il y a* et les indications données.

Tu as un ordinateur portable ? (un an)
> *Oui, depuis un an.*

a. Quand est-ce que tes parents sont nés ? (42 ans) > …
b. Tu t'intéresses aux époques passées ? (la mort de ma grand-mère) > Oui, …
c. Tu as déjà vu des films d'Indiana Jones ? (quelques années) > Oui, …
d. Tu as vu ce vieux film ? (deux ou trois jours) > Oui, …
e. Tu aimes bien Michael Jackson ? (l'âge de 7 ans) > Oui, …

Exprimer le but

13 Fais des phrases avec *pour* + nom ou + infinitif. Utilise les éléments proposés.

nos achats | écouter de la musique | savoir l'heure | les rendez-vous avec les copains | connaître l'orthographe d'un mot | devoir s'organiser à l'avance | avoir besoin d'une montre | utiliser des cassettes | aller seulement dans les magasins | regarder dans un dictionnaire

> *Avant, pour nos achats, on…*

Évaluation

Écoute. Vrai ou faux ? Justifie tes réponses. ... /5

a. C'est une enquête sur les objets du passé.
b. Il y a plusieurs choses que le garçon ne peut pas faire sans son objet.
c. La fille préfère un objet du XXe siècle.
d. L'objet de la fille est en métal et de toutes les couleurs.
e. La fille aime aussi un accessoire et des jeux de l'époque de ses parents.

PAR DEUX. **Décris ton objet préféré à ton/ta camarade. Il/Elle devine de quoi il s'agit.**

> Mon objet préféré, c'est un truc en forme de...

Lis l'article et réponds. ... /5

Les choses qui sont à la mode ne le sont plus quelques années après. Les choses qui n'étaient plus à la mode reviennent. On aime, on n'aime plus, on aime… Voici plusieurs objets des années quatre-vingts qui sont de retour.

L'appareil photo Polaroïd. Avant, il était spécial parce que les photos sortaient immédiatement. Maintenant, il ne sert plus à rien car tout le monde peut voir ses photos tout de suite et même les envoyer à plusieurs personnes en même temps ! Alors pourquoi revient-il à la mode ? Parce qu'il est cool !

Le Rubik's Cube. Ce jeu génial, tout le monde rêvait d'arriver un jour à le finir. Et maintenant ? Il est dans toutes les cours de récré, mais ce n'est plus seulement un jeu : il est devenu un vrai sport avec des championnats !

La banane. Eh oui, vos parents avaient tous une banane quand ils étaient ados. À l'époque, ils l'adoraient parce qu'elle était pratique, elle laissait les mains libres. Et puis elle s'est démodée… Alors pourquoi on l'aime depuis quelque temps ? Parce que les modes reviennent ! Toutes les modes !

a. Choisis un titre pour l'article.
   1. Ces objets qui ne sont plus à la mode aujourd'hui.
   2. Ces trucs d'avant qui sont à la mode maintenant.
   3. Ces objets qui n'ont jamais été à la mode.

b. De quels objets on parle ? Choisis parmi les photos.

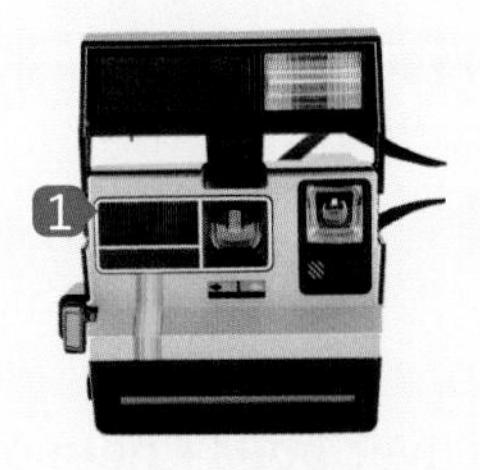

c. Quel objet n'est pas sur les photos de l'activité b ?
d. Pourquoi est-ce que ces objets étaient à la mode avant ?
e. Pourquoi est-ce qu'ils sont à la mode maintenant ?

Écris ton témoignage pour *Génération Ados*. (40 à 50 mots) ... /5

GÉNÉRATION ADOS

Parle-nous de toi

Quelles sont les choses de l'époque de tes parents ou de tes grands-parents que tu as envie d'avoir ou de porter ?

... /20

Prêts pour l'étape 3 ?

Compréhension de l'oral

Lis les situations ci-dessous. Écoute deux fois ces conversations, puis associe la conversation et la situation correspondante.

Conversations	Situations
Conversation a	1. Décrire un objet.
Conversation b	2. Raconter un souvenir.
Conversation c	3. Comparer avant et maintenant.
Conversation d	4. Parler de ses relations amicales.
Conversation e	5. Parler de ses lieux de loisirs préférés.

Compréhension des écrits

Lis cet article sur Internet. Réponds aux questions.

Le Cafézoïde, le premier café culturel des jeunes

Le Cafézoïde a ouvert il y a sept ans, dans le 19e arrondissement de Paris. Dans ce café, on peut manger, lire, faire de la peinture, de la musique ou encore chanter. Le Cafézoïde est un lieu très agréable pour passer un bon moment. La première fois que Lucie et son frère sont entrés dans ce café, ils ont adoré ! Après, Lucie est revenue avec ses amis. Comme elle, ils ont tout de suite aimé le lieu parce qu'il est coloré, confortable et pas cher. « Maintenant, je vais au Cafézoïde tous les samedis après-midi parce que je peux lire un livre ou aller sur Internet pour seulement quelques euros », explique Lucie.

a. Le Cafézoïde existe depuis quand ?

b. Cite deux activités de loisirs qu'on peut faire au Cafézoïde.

c. Lucie a découvert le Cafézoïde…
   1. seule.
   2. avec ses amis.
   3. avec son frère.

d. Pourquoi est-ce que les amis de Lucie aiment le Cafézoïde ? *(Plusieurs réponses possibles, deux réponses attendues.)*

e. Quand est-ce que Lucie va au Cafézoïde ?

f. Que fait Lucie quand elle va au Cafézoïde ? Choisis.

1

2

3

.../10

3 Production écrite

Exercice 1 (.../5)

Tu participes à un forum sur Internet. Le thème de la discussion est « Je me souviens... » Tu racontes un souvenir d'enfance. (60 mots minimum)

Exercice 2 (.../5)

Tu as passé la journée avec un(e) ami(e). Tu écris un mail à ton/ta correspondant(e) français(e) pour lui raconter ta journée (ce que tu as fait, ce que tu as aimé et pourquoi). (60 mots minimum)

.../10

4 Production orale

Exercice 1 ▸ pour s'entraîner à la partie 1 de l'épreuve orale : l'entretien dirigé

Tu te présentes. Tu parles de tes goûts (ce que tu aimes et ce que tu détestes), de tes loisirs et de tes activités pendant ton temps libre.

Exercice 2 ▸ pour s'entraîner à la partie 2 de l'épreuve orale : le monologue suivi

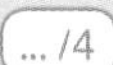

Au choix :

MON/MA MEILLEUR(E) AMI(E)
Qui est ton/ta meilleur(e) ami(e) ? Pourquoi est-ce ton/ta meilleur(e) ami(e) ? Quelles sont vos activités communes ? Est-ce que vous vous disputez parfois ? Pourquoi ?

MON OBJET PRÉFÉRÉ
Quel est ton objet préféré ? Décris-le (couleur, forme, matière). Pourquoi est-ce que c'est ton objet préféré ? Depuis quand as-tu cet objet ?

Exercice 3 ▸ pour s'entraîner à la partie 3 de l'épreuve orale : l'exercice en interaction

Par deux :

AU CENTRE DE LOISIRS
Tu es en France et tu veux t'inscrire au centre de loisirs avec ton ami(e). Vous regardez le programme des activités et vous choisissez ensemble deux activités à faire par semaine.

Mardi ou mercredi 16 h – 17 h 30

Lundi ou jeudi 16 h 30 – 18 h

Vendredi 18 h – 19 h
Samedi 14 h – 15 h

Mercredi ou samedi 15 h – 16 h 30

.../10

.../40

Ailleurs

ÉTAPE 3

1. As-tu déjà habité dans un autre pays ? Où ?
2. EN PETITS GROUPES. Faites une liste de traditions de différents pays que vous trouvez intéressantes.
3. Quels lieux de ta ville ou de ta région conseilles-tu aux touristes ?

Apprenons à…
- situer et décrire des lieux
- donner des nouvelles d'ailleurs
- décrire et défendre des traditions

VIDÉO SÉQUENCE 3

Et ensemble…
faisons un reportage sur notre ville ou notre région

LEÇON 1

Situons et décrivons des lieux

Explorado Enquête

1

Rester ici ou partir ailleurs ?

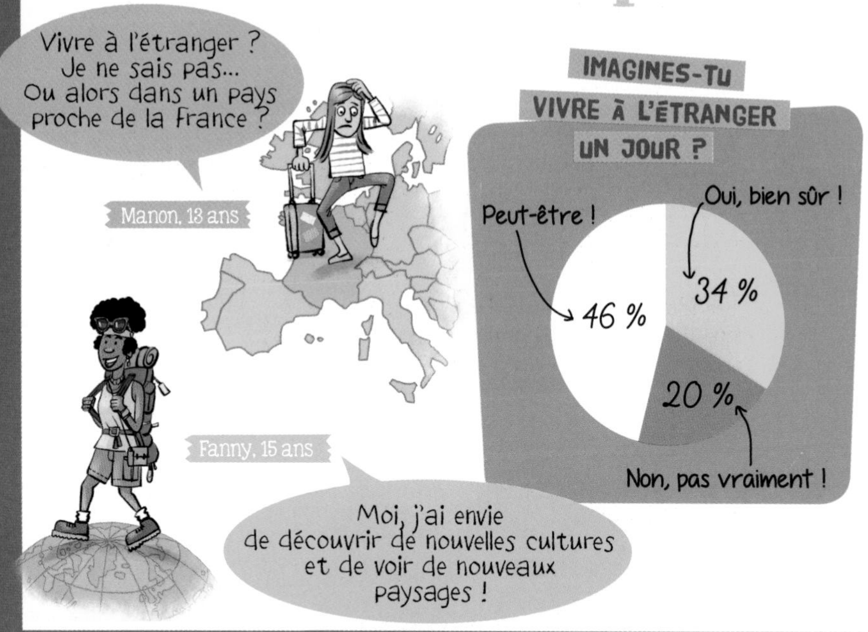

Je voudrais rester en France parce que j'ai un peu peur de parler des langues étrangères...

FRANCE

Lucien, 14 ans

ET TOI ? RÉPONDS À CES TROIS QUESTIONS SUR NOTRE BLOG.

- Imagines-tu vivre ailleurs ?
- Sur quel continent ?
- À quelle distance de ta ville natale ?

Lis l'enquête 1 et réponds.

a. Quel est le sujet de l'enquête ?

b. D'après les témoignages de Manon, Fanny et Lucien, qui a répondu « oui », « non » ou « peut-être » à la question ?

Relis l'enquête 1 et écoute les réponses complètes des trois ados.

a. Retrouve qui parle dans chaque interview.

b. Où imaginent-ils vivre ? Associe et justifie tes réponses.

Lucien | Manon | Fanny

- sur le même continent
- sur une île
- dans un autre hémisphère
- très loin de chez lui/elle
- dans une région française d'outre-mer
- dans une région polaire ou tropicale
- près de la mer
- près des montagnes ou d'un lac
- dans un endroit calme

39 Pour situer un lieu

C'est où ? Ça se trouve où ? C'est situé où ?

C'est / Ça se trouve / C'est situé...

- **en** France / **en** Europe.
- **dans** une région d'outre-mer / un pays proche de la France / l'océan Indien / l'hémisphère Sud.
- **loin de** / **près de** la France / **du** pôle Nord.
- **sur** l'île de la Réunion. / **sur** quel continent ?
- **au bord de** la mer.
- **ici** ≠ **là-bas** / **ailleurs**.

C'est à quelle distance / à combien de kilomètres (km) de ta ville natale ?

C'est **à des milliers de kilomètres d'**ici.

n° 1 et 5 p. 46-47

3 EN PETITS GROUPES. **Tirez au sort une étiquette et situez le lieu le plus précisément possible. Comparez avec les groupes qui ont choisi la même étiquette.**

mon pays | ma ville | la France | Paris | la Guadeloupe

La France, ça se trouve au bord de l'océan Atlantique...

2

Mondo est un garçon d'environ dix ans. Personne ne le connaît, personne ne sait pourquoi il est là, dans ce port du Sud de la France. Il rêve de rencontres et de voyages.

Mondo aimait bien Giordan le pêcheur [...].
Un jour, pas très loin en mer, ils avaient vu un grand cargo* noir [...].
[...]
Ils regardaient longuement le cargo qui passait.
5 « Qu'est-ce que ça veut dire, le nom du bateau ? » demandait Mondo.
« Erythrea ? C'est un nom de pays, sur la côte d'Afrique, sur la mer Rouge. »
« C'est un joli nom », disait Mondo. « Ça doit être un beau pays. » [...]
Mondo regardait le cargo qui s'éloignait.
« Il va sûrement là-bas, vers l'Afrique. »
10 « C'est loin », disait Giordan le pêcheur. « Il fait très chaud là-bas, il y a beaucoup de soleil et la côte est comme le désert. »
« Il y a des palmiers ? »
« Oui, et des plages de sable très longues. Dans la journée, la mer est très bleue, il y a beaucoup de petits bateaux de pêche [...], ils naviguent le long de la côte, de village en village. » [...]
15 Giordan le pêcheur [...] regardait au loin, vers l'horizon. [...]
« Ça doit être grand, la mer Rouge », disait Mondo.
« Oui, c'est très grand... Il y a beaucoup de villes sur les côtes, des ports qui ont de drôles de noms... Ballul, Barasali, Debba... Massawa, c'est une grande ville toute blanche. Les bateaux vont loin le long de la côte, [...] ils naviguent vers le nord, [...] ou bien ils vont vers les îles, à
20 Dahlak Kebir, dans l'archipel des Nora [...]. »
Mondo aimait beaucoup les îles. [...]
« Quand est-ce que vous irez là-bas, vous aussi ? » disait Mondo.
« En Afrique, sur la mer Rouge ? » Giordan le pêcheur riait. « Je ne peux pas aller là-bas. Je dois rester ici [...]. »
25 « Pourquoi ? » [...]
« Parce que... Parce que moi, je suis un marin qui n'a pas de bateau. »

J. M. G. Le Clézio, *Mondo et autres histoires,* Gallimard, 1978.

* Un cargo est un gros bateau qui transporte des marchandises.

4 EN PETITS GROUPES. **Répondez aux trois questions de l'enquête (1). Puis mettez en commun avec la classe.**

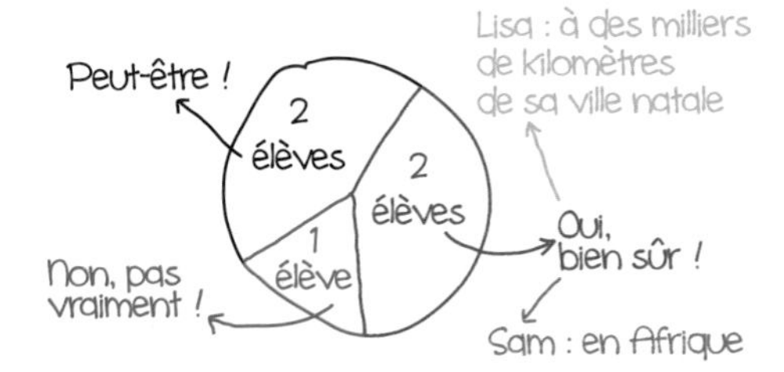

5 **Lis le texte (2) et réponds.**
a. Où se passe l'histoire ?
b. Qui sont les personnages principaux ?
c. Que font-ils dans cet extrait ?
d. Erythrea, qu'est-ce que c'est ?

6 **Relis le texte (2) et fais la liste des paysages qu'on peut voir « là-bas ».**

7 **Relis les lignes 22 à 26 et choisis la bonne réponse. Justifie.**
Giordan le pêcheur...
a. va bientôt aller « là-bas ».
b. ne peut pas voyager en mer.
c. est aussi navigateur.

8 EN PETITS GROUPES. **Écrivez un dialogue à la manière du texte de Le Clézio. Changez le nom du pays évoqué et l'identité des deux personnages. Puis jouez votre dialogue devant la classe.**

Qu'est-ce que ça veut dire, le nom du bateau ?

Java ? C'est le nom d'une île, en Indonésie.

40 VOCABULAIRE

Les lieux / Les endroits (m.)

un archipel
un continent
un hémisphère
une île
un océan
un pays
le pôle Nord / polaire
une région
un village
une ville (natale)
tranquille = calme ≠ animé(e)

Les paysages

une chaîne de montagnes
une côte
un désert
une forêt (tropicale)
l'horizon (m.)
un lac
un palmier
une plage
un port
le sable
un volcan

La mer

un bateau (de pêche)
un marin
un pêcheur
naviguer

n° 2 p. 46

LEÇON 2

Donnons des nouvelles d'ailleurs

1 **Lis la brochure.**

a. Un chantier international, c'est :
1. un séjour dans un collège étranger. 2. des vacances-travail pour les ados. 3. un voyage de classe.

b. Trouve dans la brochure un chantier humanitaire, un chantier culturel et deux chantiers écologiques.

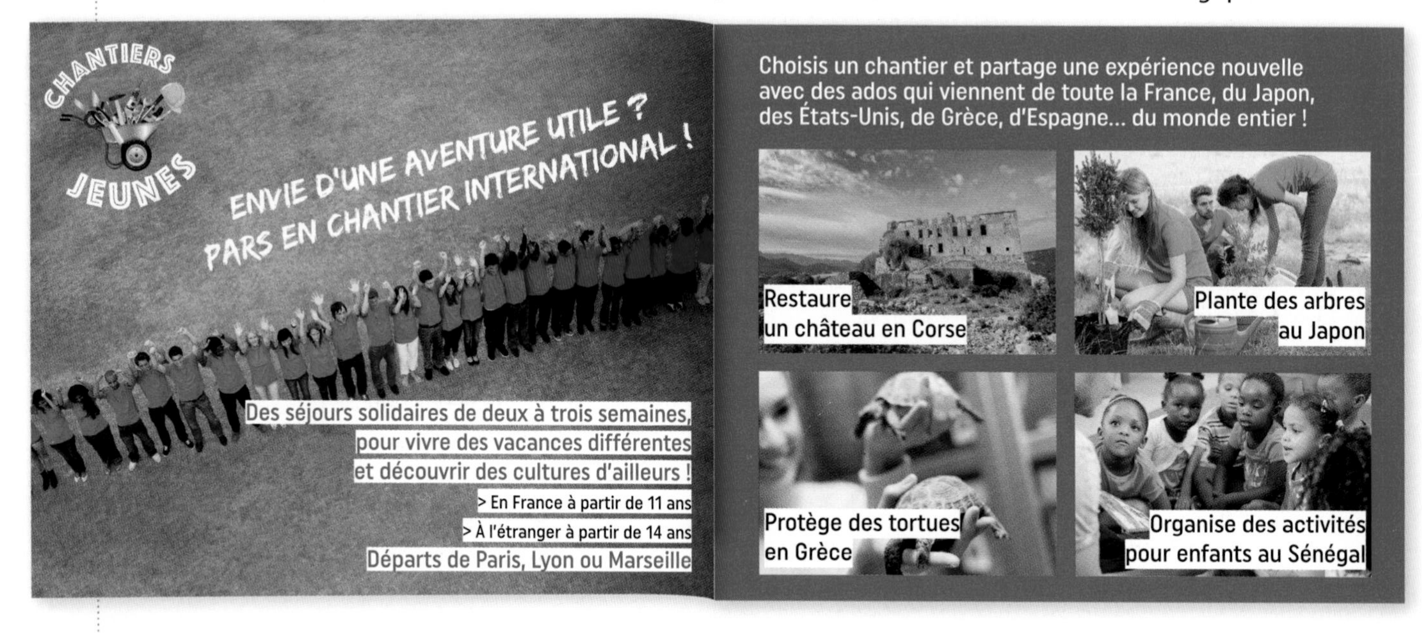

2 **Relis la brochure. De quels pays peuvent venir les participants ?**

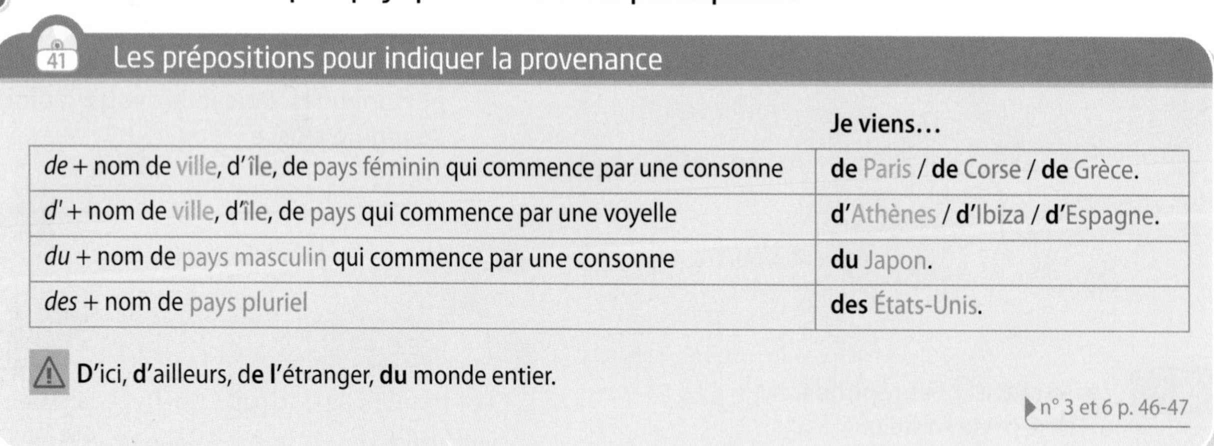

41 Les prépositions pour indiquer la provenance

	Je viens...
de + nom de ville, d'île, de pays féminin qui commence par une consonne	**de** Paris / **de** Corse / **de** Grèce.
d' + nom de ville, d'île, de pays qui commence par une voyelle	**d'**Athènes / **d'**Ibiza / **d'**Espagne.
du + nom de pays masculin qui commence par une consonne	**du** Japon.
des + nom de pays pluriel	**des** États-Unis.

⚠ D'ici, **d'**ailleurs, **de l'**étranger, **du** monde entier.

n° 3 et 6 p. 46-47

3 EN PETITS GROUPES. **Voici la liste des participants au chantier « Restaure un château en Corse ». Choisis une identité et présente-toi à tes camarades.**

– Salut, je m'appelle Carlos !
– Tu viens d'où ?
– De Cuba. De La Havane.

4 **Lis les mails page 41. D'où écrit Sacha ? À qui ? Pourquoi ?**

Des nouvelles du Sénégal

Sacha Martinot 30 mars (il y a 2 jours)

à Elsa, Clara, Mathias

Salut les copains,
Le Sénégal, c'est génial ! J'y suis depuis trois jours seulement et j'adore déjà ! J'habite dans une famille d'accueil sénégalaise à Saint-Louis (une grande ville au nord du pays). Ils sont super gentils ! Je vois l'océan tous les jours et le désert du Sahara n'est pas loin... On va y aller ce week-end avec les bénévoles du groupe. La semaine, on travaille dans une école : on y organise des activités pour les enfants et on la décore aussi.
Bon, j'y vais : c'est l'heure d'aller travailler ! ☺
À+ pour d'autres nouvelles !
Sacha

Clara Robin 31 mars (il y a 1 jour)

à Sacha, Elsa, Mathias

Cher Sacha,
Ça doit être une super expérience ! Moi, l'Afrique, je rêve d'y aller !
Tu reviens quand ?
Ciao et bisous
PS : Joanne et Apolline t'embrassent aussi !

Elsa Franetto 31 mars (il y a 1 jour)

à Sacha, Mathias, Clara

Coucou Sacha !
Génial, ton chantier au Sénégal !
Moi, je connais bien la capitale, Dakar, parce j'ai un cousin qui y habite. Si tu peux visiter, vas-y, c'est sympa comme ville !
Bises

5 Relis les mails et associe.

à Dakar | au Sénégal | en Afrique | dans le désert | dans une école

a. Sacha y est depuis trois jours.
b. Sacha va y aller ce week-end.
c. Sacha y organise des activités pour les enfants.
d. Clara rêve d'y aller.
e. Elsa a un cousin qui y habite.

42 Le pronom *y* complément de lieu

Y remplace un complément de lieu (où on est / où on va).
Je suis depuis trois jours au Sénégal. > J'y suis depuis trois jours.
On va aller dans le désert. > On va y aller.

⚠ Va à Dakar ! > Vas-y !
Ne va pas là-bas ! > N'y va pas !
J'y vais. = Je pars.

▶ n° 7 p. 47

6  EN PETITS GROUPES. Choisissez deux lieux et faites-les deviner aux autres groupes, comme dans l'exemple.

dans un chantier international | en Grèce | en Corse | au Japon | dans une famille d'accueil

– Les ados peuvent y aller pour travailler pendant leurs vacances.
– Dans un chantier international !

7 Relis les mails. Quelles formules Sacha et ses copains utilisent-ils pour se saluer ? Et pour se dire au revoir ?

 43 Pour écrire un mail amical

Pour saluer
Cher Sacha, **Chère** Clara, **Chers** amis, **Chères** cousines
Bonjour / **Salut** / **Coucou** les copains !

Pour prendre congé
Bises. / Bisous*.
Je t'/vous embrasse.
Tchao* ! / Ciao* !
À (très) bientôt.
À plus tard ! = À plus* ! / À+* !
À tout à l'heure. = À tout'*.
* familier

⚠ *PS* (= *post-scriptum*) : pour ajouter une information supplémentaire.

▶ n° 8 p. 47

Action !

8 PAR DEUX.

Tire au sort le nom d'un(e) camarade. Écris-lui un mail pour lui donner de tes nouvelles pendant les vacances. Puis réponds au mail que tu reçois d'un(e) autre camarade.

 44 VOCABULAIRE

Les chantiers internationaux

une aventure
un(e) bénévole
le départ
une famille d'accueil
un séjour
solidaire

LEÇON 3

Décrivons et défendons des traditions

Lis l'article d'*Explorado* et réponds.

a. Qu'est-ce que le « patrimoine immatériel » ? Choisis deux réponses.
1. Des monuments.
2. Des traditions.
3. Des danses, des musiques, des spécialités culinaires, etc.

b. Quel patrimoine immatériel les Belges veulent-ils défendre ? Comment ?

www.explorado.com

Explorado

ACTUALITÉS | VOS REPORTAGES | FORUM

Sauver les traditions en voie de disparition

Il y a des pays où les traditions sont importantes et qui n'ont pas peur de les défendre ! La Belgique, où on organise chaque année depuis six ans la « semaine de la frite », est un exemple. Car, eh oui, la frite est une spécialité culinaire importante de la culture belge ! Il y a quelques années, les Belges ont même demandé de la faire entrer au patrimoine immatériel de l'humanité ! À suivre…

Le patrimoine immatériel de l'humanité, c'est quoi ?

On vit aujourd'hui dans un monde où la culture devient globale, où on oublie les particularités de nos régions ou de nos villages. L'UNESCO a donc établi une liste de traditions à sauver où on retrouve par exemple : le gwoka, une musique de Guadeloupe, la capoeira, un art martial brésilien, ou encore les géants du Nord de la France ! Et peut-être bientôt : la frite belge ?

Relis l'article et réponds.

a. Dans quel pays a lieu la « semaine de la frite » ?

b. Trouve deux caractéristiques du monde d'aujourd'hui.
> *C'est un monde…*

Le pronom relatif *où*

Où remplace un nom indiquant un lieu ; il est complément de lieu du verbe qui suit.
Il y a des pays. Les traditions sont importantes dans ces pays.
> Il y a des pays où les traditions sont importantes.

n° 4 et 9 p. 46-47

Le pronom *on*

On = *les gens*.
On organise chaque année depuis six ans la semaine de la frite.
Rappel : ***on*** = *nous*.
On oublie les particularités de nos régions ou de nos villages.

On peut aussi avoir le sens de *quelqu'un*.
On me dit que la semaine de la frite a lieu en novembre.

n° 10 p. 47

EN PETITS GROUPES.

a. **Trouvez des pays…**
- où on parle français
- où il y a des vêtements traditionnels
- où il y a une spécialité culinaire célèbre
- où on pratique une danse traditionnelle

b. **Puis mettez en commun avec la classe.**

La Belgique est un pays où il y a une spécialité culinaire célèbre : la frite !

4 **Observe cette page du site *Explorado*. Qu'est-ce qu'elle présente ?**

www.explorado.com

Vues d'ados
Concours de reportage

Le thème du mois :
une tradition que j'aime

Deviens reporter et propose ton reportage photo ou vidéo ici.

ACTUALITÉS | VOS REPORTAGES | FORUM

Les reportages gagnants

Reportage vidéo
Le gwoka
Par Benj

Reportage vidéo
Les géants du Nord
Par Praloup

5 47 **Regarde encore le site et écoute les extraits des reportages gagnants.**

a. Retrouve qui parle, puis donne une courte définition des deux traditions.

b. Vrai ou faux ? Justifie tes réponses à l'aide des mots suivants.

partout | tout autour | au milieu | à l'intérieur | en haut

1. Des hommes et des femmes sont cachés dans les géants pour les porter.
2. Pour regarder le défilé des géants, c'est plus sympa d'être dans la foule.
3. On pratique le gwoka dans quelques villes de Guadeloupe.
4. Les danseurs de gwoka et les spectateurs se placent au centre d'un cercle formé par des musiciens.

48 Pour situer dans l'espace

à l'intérieur (de) / **dedans** ≠ **à l'extérieur** (de) / **dehors**

au milieu (de) = **au centre** (de) ≠ **(tout) autour** (de)

partout **(tout) en haut** (de) ≠ **(tout) en bas** (de)

au-dessus (de) ≠ **au-dessous** (de)

⚠ On est au milieu **de la** foule / **du** cercle / **des** gens.

n° 11 p. 47

PHONÉTIQUE 49

Les sons [ɔ], [o], [œ] et [ø]

Écoute et lis. Dis quand tu entends [ɔ] comme dans *votre*, [o] comme dans *mot*, [œ] comme dans *leur* et [ø] comme dans *bleu*.

a. autour – b. dehors – c. à l'extérieur – d. en haut – e. à l'intérieur – f. ailleurs – g. au-dessous – h. au milieu

n° 12 p. 47

6 EN PETITS GROUPES. **Décrivez la photo à l'aide du tableau « Pour situer dans l'espace ». Puis comparez avec les autres groupes.**

Brésil – Le cercle de capoeira

Action !

7 EN PETITS GROUPES. **Choisissez une tradition que vous voulez sauver. Défendez-la devant la classe et expliquez pourquoi elle est importante. Puis la classe vote pour les traditions à faire entrer au patrimoine immatériel de l'humanité.**

On veut défendre un jeu traditionnel : le boomerang.
On vit dans un monde où tout le monde joue aux jeux vidéo...

50 VOCABULAIRE

Le patrimoine immatériel

une culture
un défilé
une particularité
une spécialité culinaire
une tradition / traditionnel(le)

REPORTAGE

ITINÉRAIRE D'UN MARIN ARTISTE

Titouan Lamazou est un grand navigateur français. Mais ce sont d'abord l'art et les rencontres qui intéressent cet aventurier né en 1955 à Casablanca, au Maroc. Il a séjourné sur tous les continents, il y a dessiné et photographié des femmes, des hommes, des paysages... Et il a écrit des *Carnets de voyage* où il raconte ses expériences vécues ailleurs.

1970

« J'avais 15 ans quand j'ai lu pour la première fois les récits de voyages de Bernard Moitessier. »

1970-1973

« J'ai quitté l'école à 16 ans pour l'école des beaux-arts [...] mais je suis parti, attiré par la mer. [...] J'ai fait du bateau-stop jusqu'aux Antilles. »

Aujourd'hui

« Je n'ai pas de maison. J'ai un atelier, c'est un lieu de travail. J'essaie d'y être le moins possible, je préfère rester en mouvement. J'ai travaillé au Sahara [...] où vivent les Touaregs. Comme [...] eux, je me considère comme nomade*. »

Années 80

« J'ai eu la chance [...] de rencontrer Éric Tabarly. J'ai passé deux ans et demi à ses côtés [...]. Puis je suis revenu à terre pour passer une année dans le Haut Atlas marocain. »

1990-1991

« J'ai remporté le premier Vendée Globe, puis la route du Rhum, et je suis devenu champion du monde. [...] Mais, ma vocation, c'était d'être artiste. »

2001-2007

« Je suis parti au Burkina Faso, en Mauritanie, au Niger... [...] J'ai réalisé de très nombreux portraits féminins pour mon projet *Femmes du monde*. Pendant sept ans, j'ai fait le tour de la planète. »

D'après un reportage de Géoado, *juin 2016.* 55

* Nomade : qui se déplace, ne vit pas toujours au même endroit.

EN PETITS GROUPES

1 **Connaissez-vous des aventuriers, des voyageurs, des navigateurs de votre pays ou d'ailleurs ? Faites une liste.**

2 **Lis le reportage.**

a. Qui est Titouan Lamazou ? Trouve au moins cinq mots pour le caractériser.
b. Retrouve les titres de deux de ses livres.

3 **Relis et remets ces étapes de la vie de Titouan Lamazou dans l'ordre.**

a. Il devient champion de course à la voile.
b. Il passe du temps avec un grand navigateur français puis dans les montagnes au Maroc.
c. Il continue de créer et de voyager.
d. Il arrête l'école et fait son premier voyage en mer.
e. Il voyage dans le monde entier pour un projet artistique.
f. Il lit les livres d'un navigateur français célèbre.

GÉOGRAPHIE

4 a. Trouve dans le reportage page 44 quatre pays et une région francophones visités par Titouan Lamazou.

b. Parmi les endroits de l'activité a, lesquels sont dans les Antilles ? Lesquels sont en partie dans le Sahara ? Aide-toi d'une carte du monde.

c. EN PETITS GROUPES Observez la carte page 115 et cherchez le nom de cinq autres pays francophones. Comparez avec la classe.

EN PETITS GROUPES

5 Préparez cinq questions que vous avez envie de poser à Titouan Lamazou sur ses voyages.

Quels paysages de la planète préférez-vous ?

ENSEMBLE POUR...

faire un reportage sur notre ville ou notre région

1 EN PETITS GROUPES Faites une liste d'endroits et de traditions que vous aimez dans votre ville ou votre région.

Région de Veracruz, Mexique

- La plage de Mocambo à Veracruz
- La promenade autour du port : le Malecón
- Le village de Papantla et la danse des Voladores

...

2 Choisissez le format de votre reportage (photo ou vidéo). Puis préparez la présentation de quelques endroits de votre liste : situez-les, décrivez-les et faites des commentaires personnels.

Le port de Veracruz, le premier du Mexique, est à quelques kilomètres d'une grande plage de sable blanc bordée de palmiers.

3 Faites votre reportage. Prenez-vous en selfie ou filmez-vous dans les lieux choisis. N'oubliez pas vos explications et commentaires !

La plage de Veracruz est une grande plage de sable blanc où on peut...

On peut y voir la danse des Voladores, une tradition très célèbre de cette région, où des hommes habillés de vêtements traditionnels...

4 Présentez votre reportage à la classe, qui choisit les trois meilleurs.

POUR ALLER PLUS LOIN

Proposez les trois reportages sélectionnés à l'office du tourisme de votre ville ou de votre région, qui pourra les diffuser pour les touristes francophones !

Entraînons-nous

Situer un lieu

1 PAR DEUX. **Vous avez trois minutes pour trouver le maximum de noms de villes ou de pays correspondant aux descriptions suivantes. Puis comparez avec la classe.**

- villes situées sur une île
- villes qui se trouvent au bord d'un océan
- pays situés en Asie
- pays qui sont dans l'hémisphère Nord
- pays proches de la France

Fort-de-France est située sur une île !

Tokyo aussi !

Les lieux et les paysages

2 EN PETITS GROUPES. **Chacun(e) à votre tour, tirez au sort une étiquette. Le premier / La première qui trouve de quoi il s'agit marque un point.**

Rio de Janeiro | Le Sahara | Les Philippines | La Méditerranée | L'Océanie | La Réunion | Copacabana | L'Etna | Le Pacifique | Berlin

Rio de Janeiro

Une grande ville !

Les prépositions pour indiquer la provenance

3 51 EN PETITS GROUPES. **D'où viennent ces souvenirs de voyage ? Faites des hypothèses, puis écoutez pour vérifier. Quel groupe a le plus de bonnes réponses ?**

Le pronom relatif *où*

4 EN PETITS GROUPES. **Choisis un symbole d'un pays et fais une phrase avec *où*. Tes camarades devinent le pays. Faites plusieurs phrases par pays.**

C'est un pays où on mange des pizzas !

L'Italie !

Entraîne-toi

Situer un lieu

5 Associe pour reconstituer cinq phrases correctes.

San Francisco | La Réunion | L'Alaska | L'Érythrée | L'Australie

est au bord | se trouve sur | se trouve dans | est en | est situé près du

la côte Ouest des États-Unis | l'océan Indien | pôle Nord | Océanie | de la mer Rouge

Les prépositions pour indiquer la provenance

6 Écoute et dis d'où ils viennent.

52

▸ a. *Elle vient du Mexique.*

Le pronom *y* complément de lieu

7 Trouve les compléments de lieu, puis transforme les phrases avec *y*.

▸ *On va à la montagne chaque année.*
> *On y va chaque année.*

a. Vous allez dans ce chantier pour faire un projet écologique.
b. Sur cette page Internet, tu peux trouver des informations sur les chantiers jeunes !
c. Mes cousins sont allés en Guadeloupe l'année dernière.
d. On a déjà passé quelques jours dans cette ville.
e. Va sur cette plage ! Elle est super !

Écrire un mail amical

8 Remets les lettres dans l'ordre et complète les expressions pour écrire un mail.

SBOISU | CRESHÈ | MABRESES

ALTSU | LUPS | CREH

Pour saluer	Pour prendre congé
… amies, … papi, … les copains,	Je vous … ! À … ! … !

Le pronom relatif *où*

9 Fais des phrases avec *où* et les éléments donnés, comme dans l'exemple.

▸ *peut – la place – cette fête – on – Voici – traditionnelle. – voir*
> *Voici la place où on peut voir cette fête traditionnelle.*

a. C'est – traditions – des – intéressantes. – un pays – il y a
b. dans – habitent – il – fait – toute – chaud – l'année. – Elles – une région
c. J'aime – sable – blanc. – les plages – il y a – du
d. sont – un pays – C'est – les spécialités – excellentes ! – culinaires
e. est – L'Espagne – beaucoup – de – plages. – un pays – il y a

Le pronom *on*

10 Lis les phrases et remplace *on* par *quelqu'un*, *nous* ou *les gens*.

a. L'an dernier, **on** a pu voir un défilé de géants !
b. Avec ma famille, **on** a fait le tour du monde en bateau !
c. **On** m'a parlé des paysages incroyables de ce pays.
d. Dans ce pays, **on** aime manger des frites !
e. C'est une région où **on** parle français.

Situer dans l'espace

11 Choisis la proposition correcte.

a. Je suis sur un bateau *au milieu de / autour / partout* l'océan !
b. Nous sommes allés *au-dessus de / dehors / en haut de* pour voir passer le défilé.
c. Tu peux goûter cette spécialité *en haut / autour / partout* dans le pays.
d. Tout *en bas / au-dessous / autour* de la ville, il y a des montagnes.
e. Tu as déjà grimpé tout *en haut / en bas / au-dessus* de cette montagne ?

PHONÉTIQUE. Les sons [ɔ], [o], [œ] et [ø]

12 Écoute et répète le plus rapidement possible.

53

Les jeunes ados adorent se baigner sur la côte, au nord, où l'eau est chaude. Ailleurs à l'horizon, passent les bateaux des pêcheurs.

Évaluation

Écoute. Vrai ou faux ? Justifie tes réponses.

a. Léo et sa mère cherchent une activité à faire pendant les vacances.
b. La mère de Léo préfère visiter quelque chose près de Paris.
c. Léo a déjà visité beaucoup de régions françaises.
d. France Miniature se trouve à Paris.
e. À France Miniature, on peut voir différents paysages de France.

PAR DEUX.
Imaginez : il existe un parc qui représente votre pays, comme France Miniature. Tu proposes à un(e) ami(e) étranger/étrangère de le visiter. Il/Elle te pose des questions sur ce qu'on peut y voir. ... /5

– C'est où, Brésil Miniature ?
– C'est à 100 kilomètres de Rio de Janeiro...

Lis le blog de Nathan et réponds.

Ma vie ailleurs

Mercredi 22 février
Salut tout le monde,
Ça y est, on est au Québec ! C'est la partie francophone du Canada. Fini le Sénégal ! Snif ! ☹ Finis la côte, les plages de sable blanc et les tee-shirts toute l'année... La différence de climat, c'est un peu difficile... J'ai déjà connu des hivers froids quand j'habitais en Auvergne, près des volcans, il y a quatre ans. Mais ici, c'est beaucoup plus froid ! Enfin... on n'habite plus dans un village et ça, c'est cool ! C'était parfois un peu trop tranquille, là-bas...
Montréal, c'est une super grande ville où il y a plein de choses à faire... comme du patin à glace sur le lac aux Castors en hiver ! Et la ville est super animée, alors pas de problème si les paysages sont moins variés qu'au Sénégal, et s'il n'y a pas de palmiers ou de petits bateaux de pêcheurs !
À bientôt !
Posté par Nathan

Dimanche 19 janvier
C'est le grand départ ! Bye bye le Sénégal, bonjour le Québec !

a. Où est-ce que Nathan habitait avant ? Et maintenant ?
b. Associe les photos à ses trois lieux de vie.

1 

2 

3 

c. Trouve trois différences entre la nouvelle vie de Nathan et sa vie d'avant.

Tu pars vivre dans un autre pays avec ta famille. Décris les différences entre ton ancienne et ta nouvelle vie sur ton blog. (50 à 60 mots)

... /20

Prêts pour l'étape 4 ?

Créations
ÉTAPE 4
1 EN PETITS GROUPES. L'art, qu'est-ce que c'est ? Faites une liste de mots et partagez avec la classe.
2 Parmi ces arts, lequel préfères-tu : le cinéma, la peinture, le théâtre, la littérature ? Pourquoi ?
3 As-tu déjà écrit des histoires ?
Apprenons à…
• donner notre avis
• raconter une histoire
• nuancer notre opinion
Et ensemble…
écrivons un scénario de fanfiction
VIDÉO SÉQUENCE 4

LEÇON 1

Donnons notre avis

MAIRIE DE PARIS

1 Culture Jeunes

Tu es en visite à Paris ou tu habites dans le quartier ? Viens au 104, un lieu culturel unique à Paris !

Le 104, c'est un lieu pour tous les arts et tous les publics. Des artistes du monde entier viennent y exposer leurs œuvres ou pratiquer leur discipline : théâtre, cirque, photo, dessin, peinture, sculpture, vidéo...

m19 mairie dix-neuf

Au 104, tu peux :

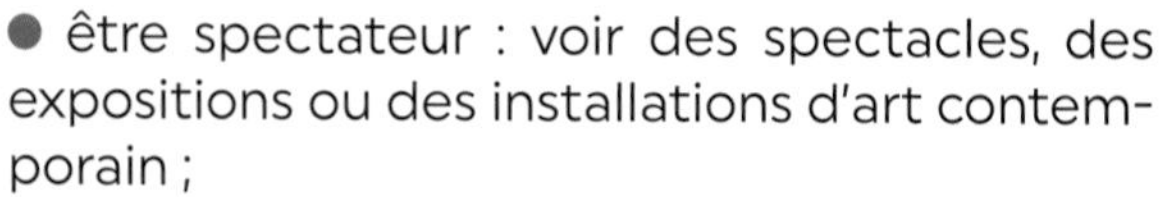

- être spectateur : voir des spectacles, des expositions ou des installations d'art contemporain ;
- rencontrer des artistes (peintres, danseurs, comédiens, musiciens, écrivains...) et découvrir leurs tableaux ou leurs dernières créations ;
- pratiquer ton art librement : le hip-hop, le jonglage, le chant...

1

2

3

4

5, rue Curial
75019 Paris

1 Lis le prospectus ①. Vrai ou faux ?

a. Il s'adresse aux jeunes.
b. Le 104 est un musée.
c. Au 104, il y a des artistes français et étrangers.
d. Le 104 peut intéresser tous les âges.

2 Relis le prospectus ①. Qu'est-ce qu'on peut faire au 104 ?

3 Relis. Retrouve les mots pour légender les photos 1 à 4 du prospectus.

4 Imagine : tu vas au 104.

a. Choisis ton rôle (spectateur/spectatrice ou artiste). Quelle discipline vas-tu voir ou pratiquer ?
b. Cherche dans la classe les élèves qui ont le même rôle que toi et comparez les disciplines choisies.

5 Lis l'article ② et réponds.

a. De quoi parle l'article ?
1. D'un film d'horreur.
2. D'une comédie musicale.
3. D'une vidéo de danse.
4. D'une exposition.
5. D'une pièce de théâtre.
6. D'un roman fantastique.

b. D'après toi, qu'est-ce que « la bataille des genres » ?

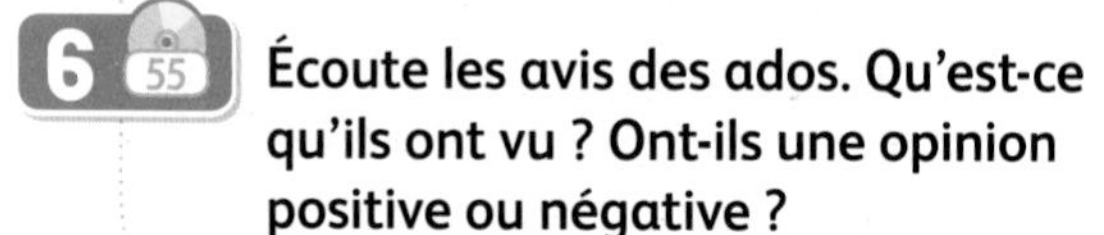

6 (55) Écoute les avis des ados. Qu'est-ce qu'ils ont vu ? Ont-ils une opinion positive ou négative ?

www.magado.com/culture/selection

CULTURE – NOTRE SÉLECTION DU MOIS

La bataille des genres

Ce mois-ci, l'art joue avec les genres ! Et selon toi, ça donne quoi ? Des œuvres surprenantes !

Art contemporain contre art classique

L'art classique, tu trouves ça ennuyeux ?
L'artiste Léo Caillard a habillé des sculptures classiques du musée du Louvre.
Résultat : des statues très à la mode !

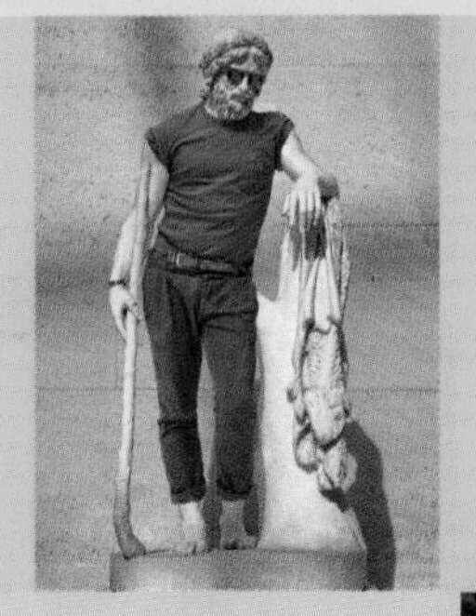

Horreur contre comédie

Mourir de peur ou mourir de rire : que préfères-tu ? Tu n'auras pas besoin de choisir avec l'adaptation au cinéma des romans de la série fantastique *Chair de poule* : un film à la fois drôle et effrayant !

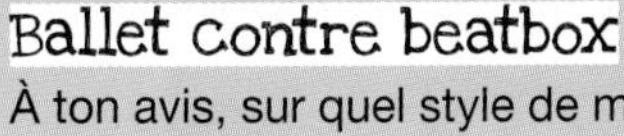

Ballet contre beatbox

À ton avis, sur quel style de musique dansent ces danseuses de ballet ? De la musique classique ? Oui ! Mais aussi sur du hip-hop, avec les sons du beatboxer Sidi Biggy, et ça va très bien ensemble !
Une vidéo originale où deux mondes se rencontrent…

dot-move.com

Ils ont vu et ils donnent leur avis !
ÉCOUTE-LES

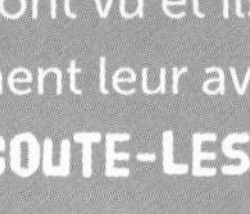

7 (55) **Réécoute et lis les phrases suivantes. Qui dit chaque phrase ?**

Clément – Mona – Baptiste

a) Je pense que c'est une idée très originale !

b) Je trouve que c'est une super idée.

c) À mon avis, c'est pas mal.

d) Je trouve ça un peu bizarre, mais aussi très intéressant.

e) Je trouve le film génial !

f) Pour moi, ce n'est pas un vrai film d'horreur.

Pour donner son avis

Je pense que c'est une idée très originale !
Je trouve ça un peu bizarre.
Je trouve que c'est une super idée.
Je trouve le film génial !
Selon toi, ça donne quoi ?
Pour moi, ce n'est pas un vrai film d'horreur.
À mon avis, c'est pas mal.

n° 2 et 6 p. 58-59

8 EN PETITS GROUPES. **Faites une bataille des genres ! Imaginez une œuvre qui mélange deux genres ou deux styles artistiques. Écrivez la présentation de votre œuvre. Puis partagez avec la classe, qui choisit l'œuvre la plus intéressante ou la plus originale.**

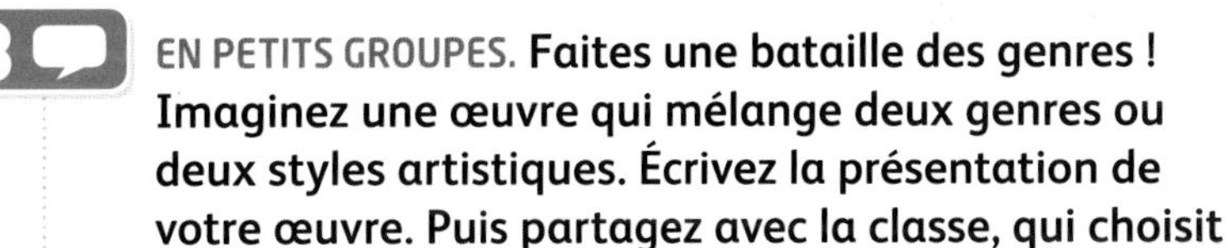

VOCABULAIRE

Les arts (m.)

un(e) artiste
un chanteur, une chanteuse
un comédien, une comédienne
un danseur, une danseuse
un(e) écrivain(e)
un musicien, une musicienne
un(e) peintre
un(e) photographe
un sculpteur, une sculptrice
une exposition / exposer
une œuvre (d'art)
une pièce de théâtre
le public
un spectacle
un spectateur, une spectatrice
un tableau

Les disciplines artistiques

le chant
le cirque • le jonglage
la photographie
la sculpture

Les genres artistiques

l'art classique / contemporain
une comédie (musicale)
un film d'horreur / d'animation
un roman fantastique

Les appréciations (1)

bizarre
ennuyeux, ennuyeuse
génial(e) (fam.)
intéressant(e)
original(e)
pas mal (fam.) = bien
surprenant(e)

n° 1 p. 58

LEÇON 2

Racontons une histoire

Lis l'aticle et réponds.

a. Qu'est-ce que *Séries Mania* ?
b. Quand et où a eu lieu cet événement ?
c. Que peut-on y faire ?
d. Est-ce qu'il existe d'autres événements de ce type ?

Séries

Séries Mania

Pendant des années, on pouvait voir nos séries préférées seulement à la télé. Sais-tu qu'aujourd'hui, comme le cinéma, les séries télévisées ont leurs festivals ?

À Paris, la première édition du festival *Séries Mania*, c'était il y a six ans. Cette année, pendant dix jours, 38 000 spectateurs ont découvert 50 séries du monde entier !

Et un autre festival, *Séries Séries*, a débuté il y a quelques années, à Fontainebleau... Alors, à ton avis, bientôt un festival de Cannes des séries ?

2 **Relis. Justifie les affirmations suivantes avec des phrases de l'article.**

a. *Séries Mania* date de plusieurs années.
b. *Séries Mania* dure dix jours.
c. *Séries Séries* existe depuis quelques années.

Pendant

Pour indiquer une durée : *pendant* + quantité de temps.

Pendant des années, on pouvait voir nos séries préférées seulement à la télé.

Pendant dix jours, 38 000 spectateurs ont découvert 50 séries du monde entier !

RAPPEL

Pour situer un événement dans le passé : *il y a* + quantité de temps.

La première édition du festival *Séries Mania*, c'était il y a six ans.

n° 7 p. 59

PAR DEUX. **Avec les mots proposés, inventez chacun(e) une question avec *pendant* et une question avec *il y a*. Puis posez vos questions et répondez chacun(e) à votre tour.**

regarder la télévision

commencer (un épisode, une série)

découvrir une nouvelle série

regarder des séries

Tu regardes la télévision pendant combien de temps chaque jour ?

Tu as commencé cette série il y a combien de temps ?

Lis la page Internet page 53. Qu'est-ce qu'elle présente ?

a. Le premier prix du festival *Séries Mania*.
b. Le scénario d'une websérie écrit pendant le festival *Séries Mania*.

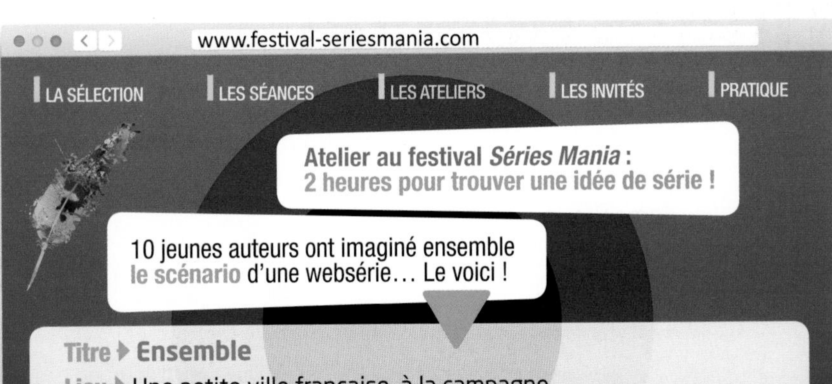

Titre ▶ **Ensemble**

Lieu ▶ Une petite ville française, à la campagne.

Résumé ▶ À 30 ans, Tom n'a plus de travail. Il a quitté son appartement et il est retourné chez ses parents, où il a retrouvé sa chambre d'ado ! Un soir, près de chez ses parents, il a revu Lola.
Lola, c'était sa meilleure amie il y a 15 ans. Ils allaient dans le même lycée. Ils étaient très différents, mais ils faisaient toujours tout ensemble. Tom était drôle et populaire ; Lola était timide et elle n'avait pas beaucoup d'amis. Parfois, Tom la trouvait étrange. Un jour, elle est partie sans rien dire.
Il va enfin comprendre pourquoi...

5 **Relis le scénario et réponds.**

a. Qu'est-ce qui a changé dans la vie de Tom ?
b. Quelle était la relation entre Tom et Lola ?
c. Comment étaient-ils, il y a quinze ans ?
d. Que s'est-il passé un jour ?

6 **Quelles réponses à l'activité 5 indiquent :**

a. une action ou un événement du passé ?
b. une description au passé ?
c. une habitude du passé ?

59 L'imparfait et le passé composé dans un récit

Le **passé composé** permet d'exprimer une action ou un événement du passé.
Il a revu Lola. – Un jour, elle est partie sans rien dire.

L'**imparfait** permet :
- de faire une description au passé (situation, personnes, lieux, sentiments…) : *C'était sa meilleure amie. – Tom était drôle et populaire.*
- d'exprimer une habitude du passé : *Ils faisaient toujours tout ensemble.*

▶ n° 3, 8 et 9 p. 58-59

PHONÉTIQUE 60

La prononciation du passé composé et de l'imparfait

Lis et écoute. Dis quelle phrase tu entends, puis prononce-la.

a. J'ai détesté cet épisode ! – Je détestais cet épisode !
b. J'ai rencontré un acteur de la série. – Je rencontrais un acteur de la série.
c. J'ai regardé des films de ce réalisateur. – Je regardais des films de ce réalisateur.
d. Tu as raconté la fin du film ! – Tu racontais la fin du film !
e. J'ai trouvé le film super. – Je trouvais le film super.

▶ n° 5 p. 58

7 PAR DEUX. **Quel(le) est le dernier film ou la dernière série que tu as vu(e) ? C'était quand, où et avec qui ? As-tu aimé ? Discutez.**

8 EN PETITS GROUPES.
Pourquoi Lola (activité 5) est-elle partie ? Imaginez la suite de l'histoire en quelques lignes. Comparez avec les autres groupes : quelle suite est la plus originale ? la plus réaliste ? la plus drôle ?
> *C'était il y a quinze ans. Un jour, …*

61 VOCABULAIRE

Les séries (f.)

un épisode
un réalisateur, une réalisatrice
un scénario

LEÇON 3

Nuançons notre opinion

1 **Lis l'article et réponds.**
a. Qu'est-ce qu'il présente ? b. Quels sont les genres cités ?

Livres

3 LIVRES POUR 1 PRINTEMPS

Tara Duncan de Sophie Audouin-Mamikonian

Tu aimes les romans d'heroic fantasy ? Découvre les aventures passionnantes de la célèbre héroïne Tara Duncan : tu ne t'ennuieras pas du tout... et tu vas peut-être trouver que ces 13 tomes sont un peu courts !

L'histoire Dans l'empire AutreMonde, Tara Duncan, qui a de très grands pouvoirs magiques, protège ses amis et sa famille de leurs ennemis...

XO, 18,90 €.

Mon ami Arnie de Jérémy Behm

Tu aimes les romans policiers ? Alors ce livre est pour toi ! Le personnage principal, Arnie, est assez inquiétant. Le scénario est peu commun et la fin étonnante !

L'histoire Depuis quelque temps, il se passe des événements plutôt étranges à Ithaca, une petite ville des États-Unis... Et quand Fox, 15 ans, devient ami avec le mystérieux Arnie, sa vie se complique !

Syros Jeunesse, 14,90 €.

_U4_, 4 tomes écrits par 4 auteurs différents

Tu aimes les romans de science-fiction ? L'univers post-apocalyptique, très noir, de cette série va beaucoup te plaire ! *U4*, ce sont 4 romans, 4 héros, 4 destins et 4 auteurs. On lit le premier livre et on est trop impatient de lire les autres !

L'histoire Stéphane, Yannis, Koridwen et Jules ont entre 15 et 18 ans. Ils ont survécu au virus U4 qui a tué 90 % de la population mondiale. Ils ne se connaissent pas, mais ils vont au même rendez-vous...

Syros/Nathan, 16,90 €.

2 **Relis l'article et réponds.**
a. Les romans de la série *Tara Duncan* sont-ils ennuyeux ?
b. Quelle est la particularité de l'héroïne Tara Duncan ?
c. Qu'est-ce qu'on apprend sur le personnage principal et le scénario du roman policier ?
d. Qu'est-ce qui se passe dans la ville d'Arnie ?
e. Comment est l'univers de la série *U4* ?
f. La lecture du premier tome d'*U4* a quel effet sur le lecteur ?

62 Les adverbes d'intensité

Ils apportent une précision sur un verbe, un adjectif ou un autre adverbe.

\+

- *très* (*trop**) + adjectif ou adverbe
  L'univers très noir.
  On est trop* impatient de lire les autres !
  * familier
- verbe + *beaucoup*
  Cette série va beaucoup te plaire !
- *plutôt*
  Des événements plutôt étranges.
- *assez*
  Le personnage principal, Arnie, est assez inquiétant.
- *un peu / peu*
  Ces 13 tomes sont un peu courts.
  Le scénario est peu commun.
- *pas du tout*
  Tu ne t'ennuieras pas du tout !

–

On ne peut pas utiliser *très* et *(un) peu* devant des adjectifs qui ont une valeur de superlatif : *excellent, horrible, magnifique*, etc.

On ne dit pas : ~~*très beaucoup*~~.

n° 4, 10 et 11 p. 58-59

PAR DEUX. Donne ton appréciation sur ces genres de livres. Utilise des adverbes d'intensité et les mots de la liste. Ton/Ta camarade réagit.

les romans policiers | les romans d'amour | les romans de science-fiction | les romans d'heroic fantasy | la poésie | les romans historiques | les BD / les mangas

ennuyeux | ça me plaît | intéressant | génial | passionnant | étrange | inquiétant | j'aime | surprenant

Je trouve que la poésie est très ennuyeuse !

Ah bon ? Moi, ça me plaît beaucoup !

4 Lis le flyer du Printemps du livre. Que faut-il faire pour réaliser un booktube ?

Écoute ces trois booktubeurs et réponds.

a. De quel(s) livre(s) parlent-ils ?
b. Ont-ils aimé ce(s) livre(s) ?

Réécoute. Associe pour retrouver les appréciations des trois booktubeurs.

a. Ce que j'apprécie dans cette série,
b. Ce qui me plaît dans ce livre,
c. Ce qui est génial aussi, avec *U4*,
d. Ce qu'il montre,

1. ce sont les personnages.
2. c'est le scénario.
3. c'est un monde trop dur.
4. c'est qu'on peut lire les romans dans l'ordre qu'on veut.

La mise en relief

Les personnages me plaisent.
sujet
> Ce qui me plaît dans ce livre, **ce sont** les personnages.
sujet

J'apprécie le scénario.
COD
> Ce que j'apprécie dans cette série, **c'est** le scénario.
COD

⚠ *Ce que > ce qu'* devant une voyelle.
Ce qu'il montre, c'est un monde trop dur.

n° 12 p. 59

7 Choisis un livre que tu as lu. Dis ce qui te plaît ou ce que tu n'aimes pas du tout dans ce livre.

Action !

8 EN PETITS GROUPES. Faites un booktube ! Avec la classe, listez les livres choisis pour l'activité 7. Puis, par trois, choisissez dans la liste un livre que vous connaissez et donnez votre avis en 90 secondes maximum.

VOCABULAIRE

Les livres	Les appréciations (2)
une couverture	étonnant(e)
un début / une fin	étrange
une histoire	inquiétant(e)
la lecture	passionnant(e)
un personnage	top (fam.)
un roman policier	
un roman de science-fiction	
un tome	
un univers	

CULTURES

DÉTOURNEMENTS ARTISTIQUES

Le savais-tu ? Ces dernières années, beaucoup de musées ont ouvert leurs portes à des dessinateurs de bande dessinée, qui ont transformé les lieux et ont détourné des œuvres.

Pourquoi ? Pour donner envie d'entrer dans un musée, pour expliquer des œuvres aux visiteurs, pour faire réfléchir…

Et voilà comment de célèbres personnages de BD se sont retrouvés à côté d'œuvres classiques !

« Open Museum #3 : Zep »
(Palais des Beaux-Arts, Lille)

Zep, le créateur du célèbre Titeuf, n'aimait pas du tout les musées quand il était enfant. Mais à Lille, il a pu faire des projections de dessins sur les murs du musée des Beaux-Arts ! Il a mis Titeuf dans des peintures et il a copié des tableaux de peintres des XVIe et XVIIe siècles dans son propre style. Ce qu'il a apprécié dans ce travail, c'est s'amuser dans un musée !

« L'Art et Le Chat »
(Musée en Herbe, Paris)

Dans l'exposition *L'Art et Le Chat*, le dessinateur belge Philippe Geluck a mis en scène son célèbre chat pour détourner des œuvres de ses artistes préférés. On a pu voir le Chat discuter avec de grands peintres (Monet, Picasso, Magritte…) ou se transformer en *Mona Lisa (La Joconde)*.
Philippe Geluck raconte : « Ma maman m'emmenait dans les musées chaque semaine. Mon père m'a montré avec des photos qui étaient Vélasquez ou les impressionnistes. Il m'a transmis sa passion pour le peintre Soulages. » Ce qu'il a aimé, c'est ouvrir le musée à un plus large public.

EN PETITS GROUPES

1 Connaissez-vous des peintres ou des auteurs de bande dessinée (anciens ou actuels, de votre pays ou d'ailleurs) ?

2 **Lis l'introduction de l'article et choisis la ou les bonne(s) réponse(s).**

Des musées proposent à des dessinateurs…
a. d'exposer leurs dessins à côté d'œuvres d'art.
b. de faire une exposition d'art contemporain.
c. de modifier des œuvres d'art.

3 **Lis l'article et réponds.**

a. Quels rapports Zep et Geluck avaient-ils avec l'art et les musées quand ils étaient enfants ?
b. Qu'est-ce qui leur a plu dans ces « détournements artistiques » ?

ARTS PLASTIQUES

4 **Observe ces tableaux célèbres.**

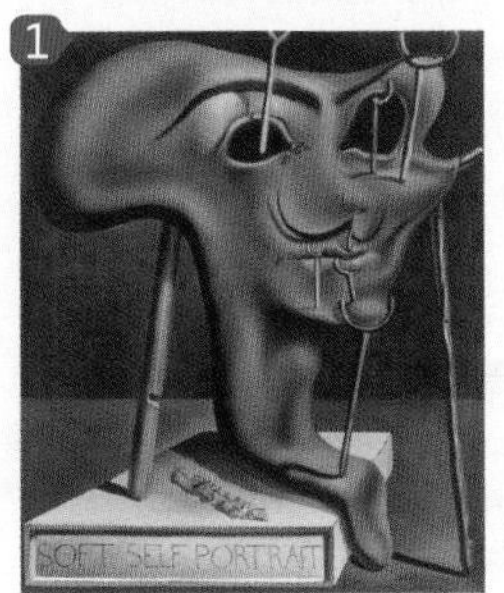

Autoportrait mou avec du lard grillé, 1941, Salvador Dalí.

Peinture 202 x 452 cm, 29 juin 1979, série Outrenoirs, Pierre Soulages.

La Joconde (ou Portrait de Mona Lisa), 1503-1506, Léonard de Vinci.

La Femme qui pleure, 1937, Pablo Picasso.

a. **Associe chaque tableau à un dessin de Zep (article page 56).**

b. **D'après toi, à quel courant artistique chacun de ces tableaux appartient-il ?**

la peinture classique | le cubisme | le surréalisme | l'art abstrait

EN PETITS GROUPES

5 **Parmi toutes les œuvres de cette page, quelle œuvre préfères-tu ?**
Formez des groupes selon vos préférences. Puis expliquez votre choix à la classe.

ENSEMBLE POUR...
écrire un scénario de fanfiction

Une fanfiction est une histoire imaginée par un(e) fan. Pour l'écrire, il/elle utilise l'univers et les personnages d'une œuvre qu'il/elle apprécie (livre, film, manga, jeu vidéo, série...) pour inventer une nouvelle histoire.

1 EN PETITS GROUPES **Discutez entre vous : de quels films, séries ou livres êtes-vous fans ? Faites une liste et choisissez l'œuvre que la majorité préfère.**

U4 – Harry Potter – Astérix et Obélix – Star Wars – ...

2 **Préparez votre fanfiction.**

- Dans l'œuvre choisie, sélectionnez un ou deux personnages qui seront vos personnages principaux.

Dans U4 > Stéphane et Koridwen

- Mettez-vous d'accord : allez-vous écrire la suite de l'histoire, ce qui s'est passé avant ou une nouvelle histoire ?
- Imaginez les lieux, les circonstances et les actions principales de votre histoire. Pensez à un début et une fin.

3 **Écrivez votre scénario (60-80 mots) et donnez un titre à votre fanfiction.**

4 **Lisez votre scénario à la classe, qui vote pour le meilleur.**

POUR ALLER PLUS LOIN
Écrivez la fanfiction et publiez-la sur un site de fanfiction.

Entraînement

Entraînons-nous

Les arts

1 EN PETITS GROUPES. **Choisis un mot de la liste de vocabulaire page 51 et dessine-le. Les autres devinent le mot.**

Le jonglage !

Donner son avis

2 PAR DEUX. **Que pensez-vous de ces tableaux ? Échangez.**

a

b

L'imparfait et le passé composé dans un récit

3 EN PETITS GROUPES. **Observez le dessin et imaginez la situation : c'était qui, où, quand ? Racontez ce qui s'est passé ensuite. Comparez votre histoire avec celles des autres groupes.**

Les adverbes d'intensité

4 PAR DEUX. **Chacun(e) à votre tour, lancez le dé et écrivez une phrase avec l'adverbe correspondant au chiffre obtenu.**

1. très
2. beaucoup
3. assez
4. plutôt
5. un peu
6. pas du tout

Ce film est plutôt triste.

PHONÉTIQUE. La prononciation du passé composé et de l'imparfait

5 PAR DEUX. **Choisis une phrase au hasard et prononce-la rapidement. Ton/Ta camarade dit si c'est le passé composé ou l'imparfait.**

a. Je le trouvais génial !
b. Je l'ai trouvé génial !
c. J'ai adoré ce film d'horreur.
d. J'adorais ce film d'horreur.
e. Je regardais ma série préférée.
f. J'ai regardé ma série préférée.
g. J'ai pensé à cet étrange personnage.
h. Je pensais à cet étrange personnage.

Entraîne-toi

Donner son avis

6 **Reconstitue les opinions de ces ados. Puis dis de quoi ils parlent.**

un film | une exposition de peinture | un manga | une série

a. Samedi, je suis allée au musée d'art contemporain.
b. Pendant les vacances, j'ai enfin vu le dernier épisode de *Vampire Diaries*.
c. Je suis allé au ciné avec ma cousine. Elle a voulu voir une comédie avec Kev Adams…
d. Hier, à la bibliothèque, j'ai découvert une bande dessinée que je ne connaissais pas.

1. Il est vraiment pas mal !
2. Les tableaux sont originaux, je les ai trouvés géniaux !
3. Le scénario est intéressant mais, selon moi, les dessins sont moches.
4. L'acteur est super mais je pense que l'histoire est ennuyeuse !

Pendant

7 Complète les phrases avec *pendant* ou *il y a*.

a. Le musée va fermer … trois jours, du 5 au 7 juin.
b. La pièce de théâtre a commencé … cinq minutes.
c. La première fois que je suis allé à ce festival ? C'était … longtemps !
d. Tu as lu beaucoup de mangas … tes vacances ?
e. Ce film est sorti … un mois mais je ne l'ai pas encore vu.

L'imparfait et le passé composé dans un récit

8 Mets les phrases dans l'ordre pour reconstituer le scénario.

a. Il y a un an, il a sorti les deux premiers tomes de sa nouvelle série.
b. Mais quand il a ouvert son ordinateur ce matin, il manquait les dix dernières pages du livre…
c. C'est l'histoire de Vincent, un écrivain célèbre pour ses romans fantastiques.
d. Il était content, il était enfin en vacances !
e. Que s'est-il passé ?
f. Hier, il a enfin terminé le troisième tome.

9 Imparfait ou passé composé ? Choisis la forme verbale correcte et dis ce qu'elle exprime : une action/un événement, une description ou une habitude.

a. Quand *j'étais / j'ai été* petit, *je détestais / j'ai détesté* les films d'horreur.
b. L'année dernière, ma sœur *allait / est allée* au festival du livre jeunesse à Rennes. Elle y *a rencontré / rencontrait* son auteur préféré.
c. Max et Léa *étaient / ont été* très amis mais, un jour, Léa *partait / est partie* dans un autre collège.
d. Cette année, avec la classe, nous *tournions / avons tourné* une websérie. *C'était / Ça a été* vraiment super !
e. Vous *lisiez déjà / avez déjà lu* le dernier tome de Tara Duncan ?

Les adverbes d'intensité

10 Remets les mots dans l'ordre pour faire une phrase. Ajoute les majuscules et la ponctuation.

a. le / avons / nous / aimé / scénario / beaucoup
b. principale / ai / n' / tout / je / pas / ce / apprécié / du / actrice / l' / film / dans
c. une / danse / est / la / belle / classique / discipline / très
d. peu / fin / un / étrange / la / du / épisode / dernier / est
e. ne / pas / les / est / très / personnages / intéressant / livre / originaux / mais / le / sont / plutôt

11 Écoute et dis si les appréciations des ados sont positives (+), négatives (–) ou nuancées (+/–). 66

La mise en relief

12 Transforme les phrases avec *ce qui* ou *ce que*, comme dans l'exemple.

J'aime les films d'horreur.
> *Ce que j'aime, ce sont les films d'horreur.*

a. Milo a adoré l'exposition sur le peintre Jackson Pollock au musée d'art contemporain.
b. Inès déteste les histoires romantiques au cinéma.
c. Les romans policiers intéressent beaucoup mon frère.
d. Au musée Picasso, j'ai préféré les dessins.

Écoute. Vrai ou faux ? Justifie tes réponses. ... /5

a. Les ados racontent leur week-end à Annecy.
b. Ils n'ont pas du tout aimé leur week-end.
c. Ils sont allés au Festival international du film d'animation.
d. On pouvait voir deux cents films français.
e. Ils n'ont pas beaucoup apprécié le film *Dans le noir.*

2 PAR DEUX. **Prépare cinq questions à poser à ton/ta camarade sur le genre de films qu'il/elle aime / n'aime pas. Il/Elle répond et te pose à son tour ses questions.** ... /5

Qu'est-ce qui te plaît dans ce genre de film ?

Lis les commentaires sur le forum Adociné et réponds. ... /5

www.adocine.fr/forum

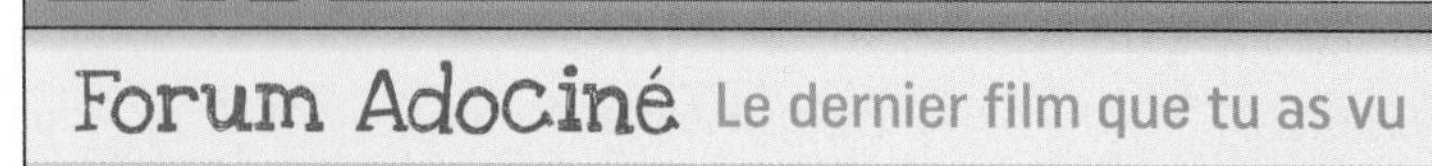

Zouz

Le Nouveau
Ce film est sorti il y a plusieurs mois. Je n'avais pas trop envie de le voir car je n'aime pas du tout les comédies. Mais finalement, j'y suis allée et j'ai adoré ! J'étais avec une amie et on a rigolé pendant tout le film. Le personnage principal, Benoît (le « nouveau »), est trop drôle !

Marouk

Le Nouveau
@ Zouz
Moi aussi, le dernier film que j'ai vu, c'est *Le Nouveau* ! Je l'ai vu pendant les vacances, avec mes cousins... et ma tante !! On a tous adoré. Ce qui est bien avec ce film, c'est que l'histoire plaît à tout le monde. C'est drôle et on ne s'ennuie pas une minute. Allez le voir ! Il est top !

a. Quel est le genre du film qu'ont vu Zouz et Marouk ?
b. Ce film est-il nouveau ?
c. Pourquoi est-ce que Zouz ne voulait pas le voir ?
d. Quand est-ce que Marouk l'a vu ?
e. Qu'est-ce que Zouz et Marouk pensent de l'histoire et du personnage principal ?

Participe au forum : donne ton opinion sur le dernier film que tu as vu. (40 à 50 mots)

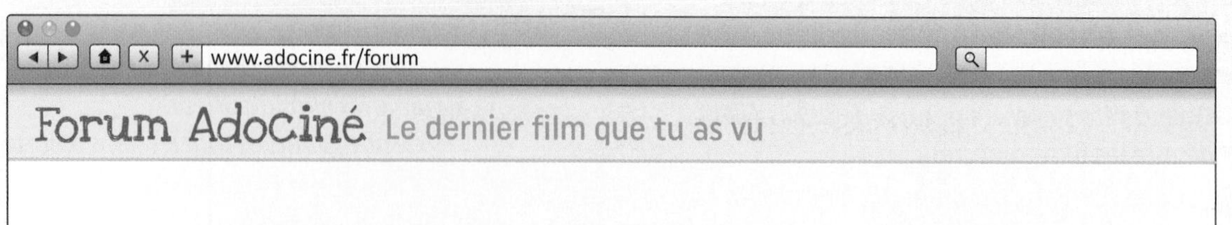

... /20

Prêts pour l'étape 5 ?

Compréhension de l'oral

Lis les questions. Écoute deux fois le message téléphonique, puis réponds aux questions.

a. Maxime propose à Sofia…
  1. d'aller voir un film samedi.
  2. de venir chez lui samedi.
  3. de faire une sortie samedi.

b. Que pense Sam de la proposition de Maxime ?

c. Qu'est-ce que Maxime propose de faire vers 14 heures ?

d. Qu'est-ce qu'il y a à 17 heures ?
  1. Un spectacle de danse.
  2. Une rencontre avec des peintres.
  3. La présentation d'une nouvelle exposition.

e. Qu'est-ce que Sofia doit faire ce soir ?

…/10

Compréhension des écrits

Lis le mail d'Elsa. Réponds aux questions.

Boîte de réception

Salut,

Comment vas-tu ? Moi, ça va. Je suis à Rennes depuis trois jours et je vais y passer deux semaines. Je loge dans la famille de Malo, mon correspondant. Tout le monde est très gentil avec moi. Malo a une grande sœur. Elle s'appelle Coralie et elle est très sympa. Hier, vers 10 heures, on est allés au marché de la place des Lices. Il est magnifique et très grand ! Puis, à midi, on est allés au restaurant. L'après-midi, on a visité le musée des Beaux-Arts. Il est très beau et très intéressant. À Rennes, il y a beaucoup de parcs où on peut se promener. C'est une ville super animée et, tu sais, la mer n'est pas loin !

À bientôt !

Bises,

Elsa

a. Quand est-ce qu'Elsa est arrivée à Rennes ?

b. Elsa va rester à Rennes pendant combien de temps ?

c. Qui est Coralie ?
  1. La sœur d'Elsa.
  2. La correspondante d'Elsa.
  3. La sœur du correspondant d'Elsa.

d. Hier matin, Elsa…
  1. a visité un musée.
  2. est allée au marché.
  3. a mangé au restaurant.

e. Qu'est-ce qui est près de Rennes, d'après Elsa ?

…/10

3 Production écrite

Exercice 1 (.../5)

Hier, tu as vu un film chez un(e) ami(e). Tu écris à un(e) ami(e) français(e) pour lui dire quel genre de film c'était et quelle était l'histoire. Tu donnes ton avis sur ce film.
(60 mots minimum)

Exercice 2

Tu corresponds pour la première fois avec un(e) francophone de ton âge. Tu lui écris un mail pour lui présenter ton pays et décrire ta ville. Tu dis les activités que tu aimes faire dans ta ville. N'oublie pas de saluer et de prendre congé ! (60 mots minimum)

.../10

4 Production orale

Exercice 1 ▸ pour s'entraîner à la partie 1 de l'épreuve orale : l'entretien dirigé (... /2)

Tu te présentes. Tu parles de ton pays, de ta ville et des activités que tu y fais.
Tu dis aussi quelle(s) tradition(s) de ton pays ou de ta ville tu aimes et pourquoi.

Exercice 2 ▸ pour s'entraîner à la partie 2 de l'épreuve orale : le monologue suivi (... /4)

Au choix :

MON LIVRE PRÉFÉRÉ
Quel est ton livre préféré ? Pourquoi est-ce ton livre préféré ? Qu'est-ce qui te plaît (les personnages, l'histoire…) dans ce livre ?

MON PAYS PRÉFÉRÉ
Quel est ton pays préféré ? Pourquoi est-ce ton pays préféré ? Il y a quel type de paysages ? Tu as visité quelle(s) ville(s) ? Qu'as-tu pensé de cette (ces) ville(s) ?

Exercice 3 ▸ pour s'entraîner à la partie 3 de l'épreuve orale : l'exercice en interaction

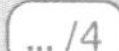

Par deux :

CHOISIR UN MUSÉE
Tu es à Tours avec un(e) ami(e) francophone. Vous voulez aller au musée samedi. Vous regardez les descriptifs ci-contre et vous donnez votre avis sur chaque musée. Vous choisissez ensemble un musée à visiter et vous vous mettez d'accord sur le jour et l'horaire.

Musée du Compagnonnage
L'art des métiers manuels

Tous les jours sauf le mardi, de 9 h à 12 h 30 et de 14 h à 18 h.

Entrée : 5,50 €
Tarif réduit : 3,80 € > Enfants, collégiens, lycéens, étudiants.

Musée des Beaux-Arts

Tous les jours sauf le mardi, de 9 h à 12 h 45 et de 14 h à 18 h.

Entrée : 6 €
Tarif réduit : 3 € > Moins de 18 ans.

Muséum d'histoire naturelle

Tous les jours sauf le lundi, de 10 h à 12 h et de 14 h à 18 h.

Entrée : 3,50 €
Tarif réduit : 1,80 €> Jeunes de 12 à 18 ans et étudiants. Gratuit : moins de 12 ans.

.../10

.../40

Conso

ÉTAPE 5

1 Achètes-tu beaucoup de choses ? Quoi en particulier ?

2 As-tu l'habitude de donner ou d'échanger les objets que tu n'utilises plus ?

3 Quels déchets peut-on trouver dans ta poubelle ?

Apprenons à…
- parler de nos habitudes de consommation
- proposer des solutions
- imaginer l'avenir

+ VIDÉO SÉQUENCE 5

Et ensemble…
lançons la campagne « Un collège presque zéro déchet »

LEÇON 1

Parlons de nos habitudes de consommation

Test

QUEL CONSOMMATEUR ES-TU ?

1

1 Ton sac préféré est cassé.

A Cool, tu vas pouvoir acheter un nouveau sac !

B Pas de problème, tu sais très bien réparer les choses !

C Tant pis ! Tu le jettes et tu reprends ton vieux sac qui est toujours en bon état.

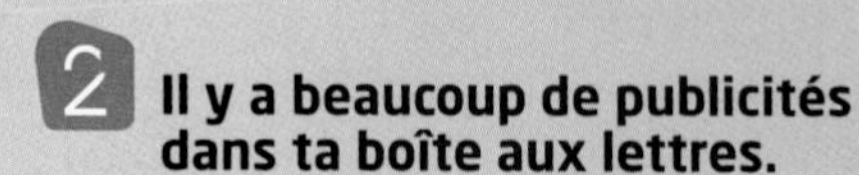

2 Il y a beaucoup de publicités dans ta boîte aux lettres.

A Tu les regardes toutes pour t'informer sur les nouveaux produits.

B Tu te dis : « Quel gaspillage de papier ! » et tu colles un « stop pub » sur ta boîte aux lettres.

C Tu les jettes parce que, quand tu les regardes, tu as envie de tout acheter...

3 Pour tes fournitures scolaires, tu choisis :

A des paquets de 10 stylos sans marque : ce n'est pas cher (mais tu es souvent déçu(e) parce qu'ils ne durent pas longtemps...).

B tes stylos de l'année dernière et de nouveaux cahiers, mais en papier recyclé.

C des objets de marque, c'est plus chouette et ça dure plus longtemps.

4 Ton ami a acheté trois tee-shirts pour le prix d'un. Ta réaction :

A « Bravo ! Tu as fait une bonne affaire ! »

B « C'est dommage d'acheter quand on n'a besoin de rien ! »

C « Si tu ne les mets pas, tu peux les donner ! »

TON « PROFIL CONSO » :

> **Maximum de A : tu es un « égoconsommateur ».** Tu consommes beaucoup, donc tu produis beaucoup de déchets et tu gaspilles ; c'est dommage !

> **Maximum de B : tu es un « écoconsommateur ».** Tu fais attention à ta consommation et au gaspillage. Tu es responsable, félicitations !

> **Maximum de C : tu es un « consomm'acteur ».** Tu aimes les pubs et tu adores les marques... Mais tu fais des efforts pour ne pas trop consommer, c'est bien !

1 Lis le test 1. Que permet-il de découvrir ?

a comment acheter moins

b si on est un consommateur responsable

c comment faire des achats pas chers

2 Relis le test 1. Associe chaque photo à une partie du test.

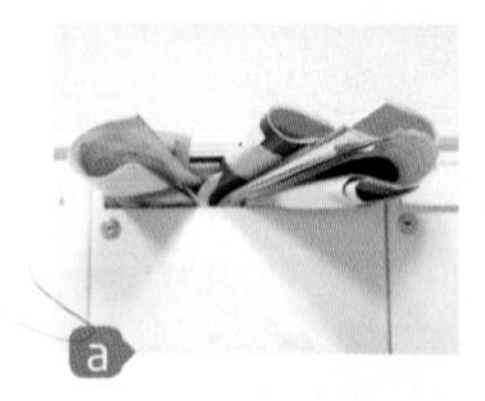

a

b

c

d

3 69 **a. Écoute ces réflexions d'ados. Retrouve dans le test 1 les phrases correspondantes.**

b. Réécoute. Quelles expressions expriment des félicitations 👍 ? une déception ou une critique 👎 ?

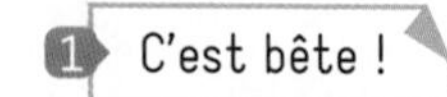

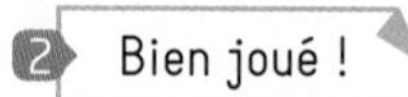

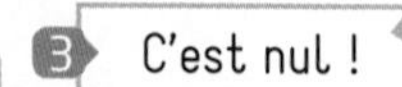

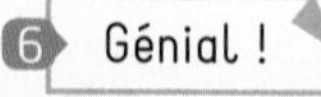

1 C'est bête ! 2 Bien joué ! 3 C'est nul !

4 Oh, mince ! 5 Quel gâchis ! 6 Génial !

70 Pour féliciter / exprimer une déception ou une critique

Féliciter	Exprimer une déception ou une critique
Félicitations !	C'est dommage !
Bravo !	C'est bête ! / C'est nul !
Génial ! / Super !	Je suis déçu(e) !
C'est bien !	Quel gâchis ! / Quel gaspillage !
Bien joué !	Oh, mince !
	Tant pis !

n° 1 p. 72

PHONÉTIQUE 71

L'accent d'insistance

Écoute et répète. Quelles phrases sont prononcées avec un accent d'insistance ?

n° 5 p. 72

2

www.longue-vie-aux-produits.com

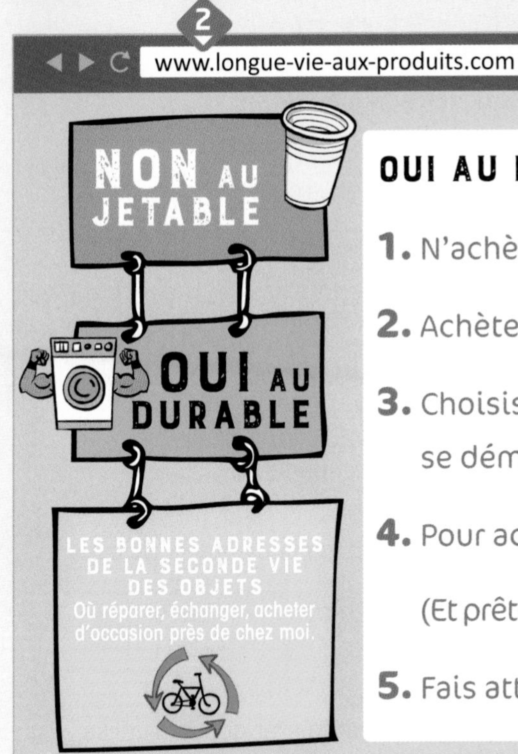

OUI AU DURABLE >>> Conseils pratiques

1. N'achète pas si tu n'as pas vraiment besoin du produit.
2. Achète des produits de bonne qualité ou d'occasion.
3. Choisis des produits réparables et qui ne vont pas se démoder.
4. Pour acheter moins : échange ou emprunte.

(Et prête aux autres : eux aussi ils achèteront moins !)

5. Fais attention à ne pas abîmer ou casser tes affaires.

4 **Fais le test ①. Puis cherche dans la classe les élèves qui ont le même « profil conso » que toi. Dans les résultats du test, on vous félicite ou on critique votre attitude ?**

5 **Lis le site ② et choisis la ou les bonne(s) réponse(s). Justifie.**

Ce site conseille de…

a. consommer des produits qui ne durent pas longtemps.
b. faire durer la vie des objets.
c. faire réparer, acheter d'occasion ou échanger des produits dans son quartier.

6 **Relis le site ②, puis associe (il y a plusieurs possibilités).**

a. les produits jetables
b. les produits durables
c. les produits d'occasion

1. déjà utilisés
2. qu'on ne peut pas réutiliser
3. de bonne qualité
4. réparables
5. qui ont une longue vie
6. qui se cassent ou s'abîment facilement
7. qu'on partage avec les autres

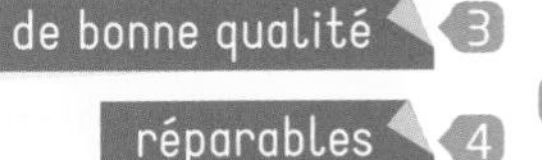

7 **Cherche dans ton sac des objets jetables, durables, d'occasion. Compare avec la classe. Qui a une consommation « durable » ?**

8 **Complète le formulaire ci-dessous. Partage avec la classe et trouve des élèves intéressés par ta proposition.**

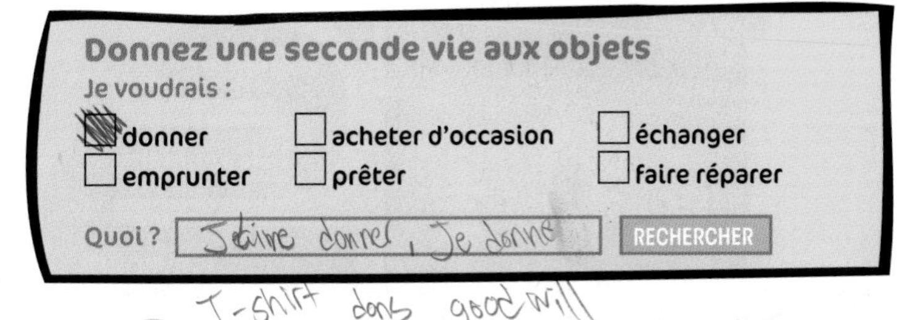

Donnez une seconde vie aux objets

Je voudrais :

- [x] donner
- [ ] acheter d'occasion
- [ ] échanger
- [ ] emprunter
- [ ] prêter
- [ ] faire réparer

Quoi ? J'aime donner, Je donne T-shirt dans good will   RECHERCHER

72 VOCABULAIRE

La consommation	Le développement durable
un achat / acheter	un déchet
une (bonne) affaire	le gâchis / gâcher
un consommateur,	le gaspillage / gaspiller
une consommatrice	abîmer / abîmé(e)
une marque / de marque	casser / cassé(e)
un produit	durer / durable
la publicité = la pub	échanger
la qualité	emprunter ≠ prêter
de bonne qualité	jeter / jetable
≠ de mauvaise qualité	recycler / recyclable
d'occasion	réparer / réparable
en bon état	responsable

n° 6 et 7 p. 72

LEÇON 2

Proposons des solutions

1 **Lis. Que propose ce site ?**

www.maconso-materre.com

3 idées pour ne plus jeter | Concours | Forum

Ma conso Ma terre.com

3 idées pour ne plus jeter

1 Je viens de casser un objet que je veux réutiliser...
L'idée : tu vas apprendre à le réparer toi-même.
La solution : les ateliers de bricolage

2 Je viens de trier des affaires un peu abîmées que je ne veux plus garder...
L'idée : tu les donnes, on va les récupérer, les remettre en bon état et les vendre.
La solution : les ressourceries

3 Je viens de retrouver des objets en bon état que je n'utilise jamais...
L'idée : tu les donnes, ils vont servir à quelqu'un d'autre !
La solution : les Givebox (boîtes à dons) ou les donneries

2 **Relis et observe les photos. Selon le site, pourquoi vas-tu dans ces endroits ? Retrouve les actions correspondantes.**

a. *Une donnerie. > Parce que je viens de retrouver…*

a

b

c

d

Le passé récent

73

On utilise le passé récent pour une action réalisée dans le passé immédiat : *venir de* + infinitif.
Je viens de casser un objet.
Je viens de retrouver des objets en bon état.

RAPPEL

On utilise le futur proche pour une action à réaliser dans un futur immédiat : *aller* + infinitif.
Tu vas apprendre à le réparer toi-même.

n° 2 et 8 p. 72-73

3 **Observe les dessins. Dis ce qui vient de se passer et imagine des solutions au futur proche.**

a
Elle vient de... Elle va...

b

4 **Lis l'annonce. Un slogan, qu'est-ce que c'est ? Choisis deux réponses.**

a. Une phrase facile à mémoriser qu'on voit souvent dans les publicités.
b. Une partie d'un poème.
c. Une phrase originale pour défendre une action.

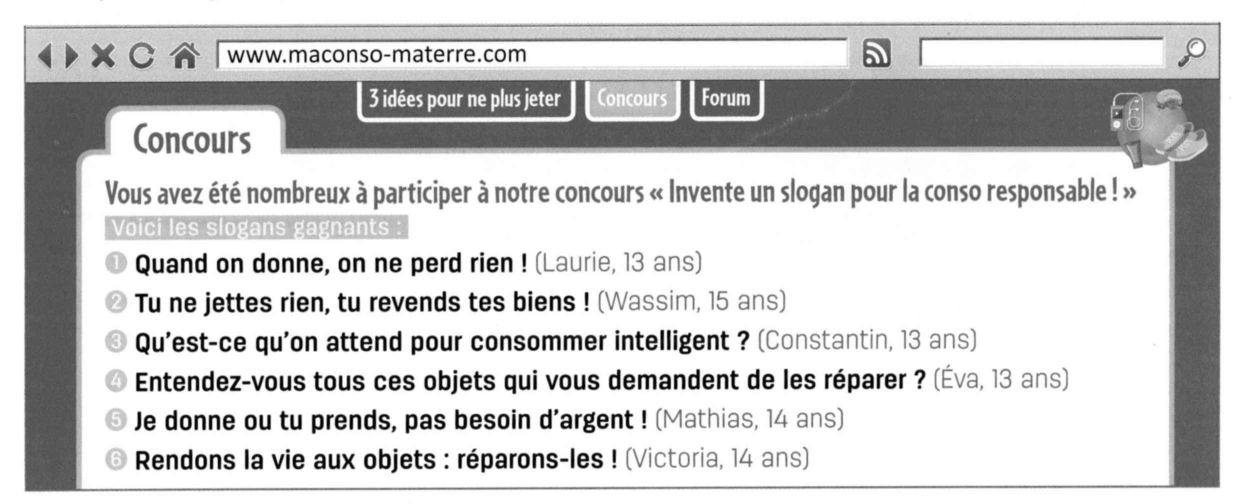

5 **Relis les slogans et réponds.**

a. Quel slogan correspond au prospectus ci-contre ?
b. À quels endroits de l'activité 2 peuvent correspondre les autres slogans ?

6 **Cherche dans les slogans tous les verbes qui ont un infinitif en *-dre*.**

74 Les verbes en *-dre* comme *perdre*

je perds	nous perdons
tu perds	vous perdez
il/elle/on perd	ils/elles perdent

Autres verbes : *attendre, entendre, défendre, rendre, vendre, descendre, répondre*, etc.

RAPPEL

Pour le verbe *prendre* et ses composés (*apprendre, comprendre*…) > *nous prenons, vous prenez, ils/elles prennent*.

n° 3 et 9 p. 72-73

7 EN PETITS GROUPES. **Écrivez deux slogans avec des verbes en *-dre* : un pour une Givebox et un pour un vide-greniers. La classe vote pour le meilleur slogan de chaque catégorie.**

Vous donnez, vous prenez, vous rendez quelqu'un heureux !

8 EN PETITS GROUPES.
Vous voulez organiser un événement pour la récup' d'objets. Préparez une affiche avec un texte qui explique votre action.

Nous allons organiser une fête de l'échange.

Vous venez de retrouver des vieux trucs, de trier des affaires… N'attendez plus pour les donner !

VOCABULAIRE

La récupération = la récup' (fam.)

un don / donner	garder
le tri / trier	récupérer
un vide-greniers	réutiliser

LEÇON 3

Imaginons l'avenir

1 **Observe et lis l'article. *Demain*, qu'est-ce que c'est ? Pourquoi est-ce qu'on conseille de le voir ?**

Planète

On annonce la fin possible de l'humanité dans 70 ou 80 ans. On dit que les enfants de demain grandiront dans un monde où l'eau et la nourriture manqueront, où il n'y aura plus de pétrole, où les poissons disparaîtront peu à peu des océans. Mais les gens ne veulent plus entendre que ça va mal.
Toi aussi, tu as peur d'imaginer comment sera le monde plus tard, quand tu seras adulte, quand toutes ces horreurs deviendront réalité ? Tu as envie d'espoir, de croire qu'on peut inventer un autre monde ? Va voir le film *Demain* ! Un documentaire optimiste, avec des hommes et des femmes qui ont trouvé des solutions pour construire un avenir meilleur.

2 **Relis l'article. Relève les phrases qui sont pessimistes pour l'avenir.**

Le futur simple (rappel)

Le futur simple des verbes réguliers
Infinitif + terminaisons ***-ai*, *-as*, *-a*, *-ons*, *-ez*, *-ont*.**
L'eau et la nourriture manquer**ont**.
Les enfants grandir**ont**.

Le futur simple des verbes en *-re*
Infinitif sans le *e* + les terminaisons.
Les poissons disparaîtr**ont** peu à peu des océans.

Principaux verbes irréguliers au futur simple

avoir > j'aurai	venir > je viendrai
être > je serai	devoir > je devrai
aller > j'irai	vouloir > je voudrai
faire > je ferai	pouvoir > je pourrai
savoir > je saurai	mourir > je mourrai
voir > je verrai	il faut > il faudra

⚠ Pour donner une information sur une situation future, on utilise : ***quand* + futur simple.**
Tu as peur d'imaginer comment sera le monde **quand** tu **seras** adulte ?

n° 10 p. 73

3 EN PETITS GROUPES. **Imaginez comment on vivra quand il n'y aura plus de pétrole, plus de poissons dans les océans et quand l'eau manquera. Comparez avec les autres groupes. Qui a une vision optimiste ou pessimiste de l'avenir ?**

Quand l'eau manquera, les plantes mourront et on...

4 **Écoute plusieurs fois ces ados parler de *Demain* et réponds.**

a. Pourquoi est-ce que le film a eu beaucoup de succès ?
b. Quelles solutions données dans le film correspondent aux symboles suivants ?

c. Quels sont les espoirs des ados ? Et des réalisateurs ?
> *Le garçon espère que...*

Pour exprimer un espoir

Espérer que/qu' + indicatif (présent, **passé composé**, futur proche, futur simple...).
J'**espère que** les solutions proposées sont de vraies solutions !
J'**espère que** beaucoup d'ados **ont vu** / vont voir le film !
Ils **espèrent que** tout le monde aura envie de changer quelque chose !

n° 11 p. 73

5 Et toi, qu'est-ce que tu espères pour l'avenir de la planète ? Note deux ou trois espoirs, puis fais une liste avec la classe.

> J'espère qu'il y aura beaucoup de forêts !

6 Lis cette page du site #demainlefilm et réponds.
a. Qui présente ces projets ?
b. Qui veut manger bio et cultiver des légumes ? Qui veut produire moins de déchets ?

7 Relis et retrouve les conditions nécessaires pour obtenir les résultats suivants.

a. On pourra sauver le monde.

b. La planète sera bientôt une poubelle.

c. On doit arrêter de faire les courses au supermarché.

d. Ce sera une catastrophe pour la nature.

Vous avez vu le film *Demain* et, vous aussi, vous avez décidé de réinventer votre vie ? Parce que vous pensez que si chacun fait des efforts, on pourra sauver le monde ? Partagez votre projet ici.

« Presque » zéro déchet — par la famille Dumonier

Si nous ne changeons pas nos habitudes de consommation, la planète sera bientôt une poubelle ! Nous, on espère qu'on aura un minimum de déchets (presque 0 !) l'année prochaine. Mais ce n'est pas facile ! Si on veut réduire nos déchets, on doit d'abord arrêter de faire les courses au supermarché.

Jardin bio — par Lulu

J'ai vu le film *Demain* et j'ai compris quelque chose de très important : si on continue à manger de la nourriture industrielle, ce sera une catastrophe pour la nature. Alors, j'ai commencé à faire un jardin bio avec mes parents. J'espère qu'on va produire beaucoup de beaux légumes ! Si vous voulez voir notre jardin, allez sur mon blog : Site web +

Action !

8 EN PETITS GROUPES. **Vous décidez de changer une habitude de votre vie. Imaginez un projet et témoignez sur #demainlefilm. La classe vote pour l'idée la plus originale.**

Échange et partage — par Sandra, Mila et Tom

Dans notre groupe d'amis, on organise des échanges de vêtements ou d'objets entre nous. On espère que d'autres personnes voudront participer ! Si ça vous intéresse, contactez-nous !

79 *Si* + présent

Pour faire une hypothèse dans le présent
Si + présent … présent.
Si on veut réduire ses déchets, on doit arrêter de faire les courses au supermarché !

Pour faire une hypothèse avec un résultat futur
Si + présent … futur proche ou futur simple.
Si chacun fait des efforts, on va pouvoir / pourra sauver le monde.

Pour donner un conseil
Si + présent … impératif.
Si vous voulez voir notre jardin, **allez** sur mon blog !

n° 4 et 12 p. 72-73

80 VOCABULAIRE

L'avenir
une catastrophe
un espoir
manquer
optimiste ≠ pessimiste
l'année prochaine
dans le futur
dans trente ans
plus tard

Les comportements responsables
changer ses habitudes
économiser l'énergie
faire des efforts
réduire ses déchets
la nourriture biologique = bio ≠ industrielle

CULTURES

Le vendredi 16 octobre, c'est la Journée nationale anti-gaspi !

COMMENT LUTTER CONTRE LE GASPILLAGE ALIMENTAIRE ?

1 À la cantine : on met des affiches. Le message ? « Ne prends pas trop de nourriture et finis ton repas. Si tu as encore faim, tu te resserviras ! »

REMPLIR SON ASSIETTE C'EST CHOUETTE, SI C'EST POUR LA POUBELLE C'EST BÊTE !

À la cantine, mange de tout, régale toi et n'en laisse pas plein ton assiette !
www.alimentation.gouv.fr

STOP au gaspillage alimentaire

MANGER C'EST BIEN JETER ÇA CRAINT !

2 Dans les supermarchés : on vend des produits « moches » ! Si tu achètes ces biscuits ou ces fruits un peu moins beaux, ils te coûteront moins cher et ils ne finiront pas à la poubelle !

Les Biscuits MOCHES Coeur de Lait

J'SUIS PAS BEAU, MAIS J'AI DU CŒUR !

Les Gueules Cassées. Bons à consommer, pas à jeter !

3 À la maison : à toi de limiter le gâchis ! Deux idées :

→ Tu as des fruits ou des légumes un peu abîmés ? Récupère la partie bonne à manger !

→ Tu ne finis pas ton repas ? Garde-le pour demain !

STOP

4 Dans ton quartier : participe à une discosoupe. Prépare (en musique !) une soupe solidaire avec des aliments récupérés !

DISCO SOUPE

LE GASPILLAGE ALIMENTAIRE EN FRANCE

Les Français jettent 1,2 million de tonnes de nourriture consommable par an.

Chaque Français jette environ 20 kg d'aliments par an.

On jette 21 % des aliments qu'on achète.

30 % des aliments jetés sont encore emballés*.

* dans du plastique ou du papier

EN PETITS GROUPES

1 Chez vous, faites-vous attention à ne pas gaspiller la nourriture ? Comment ?

2 Lis l'affiche et réponds.

a. Qu'est-ce qui se passe le 16 octobre en France ?
b. Quelles actions est-ce qu'on propose pour limiter le gaspillage alimentaire ? Où ?

3 Relis l'affiche et trouve :

a. une expression pour parler des légumes moches ;
b. un slogan qui signifie : « C'est super d'avoir envie de manger, mais c'est dommage si on ne finit pas son repas ! »

MATHÉMATIQUES

4 a. **Lis sur l'affiche page 70 les informations sur le gaspillage alimentaire en France. Vrai ou faux ? Justifie.**
1. On jette vingt et un aliments sur cent aliments achetés.
2. Tous les ans, chaque Français jette environ trois kilos d'aliments encore emballés.

b. **Observe les chiffres ci-dessous et calcule le pourcentage de déchets alimentaires produits par les familles, par les commerces et par les cantines et restaurants français. Justifie ton calcul.**

> Les familles françaises produisent … % (pour cent) des déchets alimentaires.

EN PETITS GROUPES

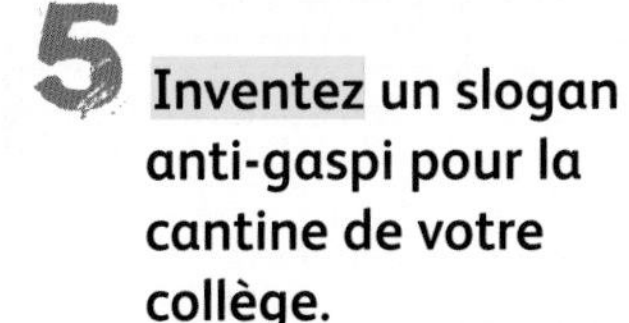

5 **Inventez un slogan anti-gaspi pour la cantine de votre collège.**

ENSEMBLE POUR...

lancer la campagne « Un collège presque zéro déchet »

1 AVEC LA CLASSE **À votre avis, quels déchets peut-on trouver dans les poubelles de votre collège (dans les classes, dans la cour) ? Triez ces déchets par catégorie. Séparez ce qu'on doit vraiment jeter et ce qui est…**

recyclable | réutilisable | réparable | alimentaire

2 EN PETITS GROUPES **Créez une boîte et un slogan pour chaque catégorie de déchets qu'on peut récupérer ou recycler. Illustrez vos boîtes. (Vous pouvez réutiliser vos slogans de la leçon 2.)**

3 **Préparez le texte d'un panneau explicatif à mettre à côté des boîtes. Expliquez pourquoi il faut réduire les déchets au collège et comment faire.**

*Au collège, nous gaspillons trop ! Nous venons de trier notre poubelle et…
Nous voulons un collège « presque zéro déchet ».
Pour cela, vous devrez…*

4 **Comparez vos slogans et votre texte avec les autres groupes. Choisissez les meilleurs.**

POUR ALLER PLUS LOIN

Proposez votre campagne « Un collège presque zéro déchet » au directeur/à la directrice de votre collège. Installez partout vos boîtes et vos panneaux traduits dans votre langue.

Entraînement

Entraînons-nous

Féliciter / Exprimer une déception ou une critique

1 PAR DEUX. **Imaginez deux mini-dialogues. Jouez-les devant la classe, qui dit si vous félicitez votre camarade ou si vous exprimez une déception/une critique.**

Oh, mince ! J'ai cassé mon stylo !

C'est dommage, il était bien !

Le passé récent

2 PAR DEUX. **Tu exprimes une action au passé récent. Ton/Ta camarade imagine ce que tu vas faire.**

Mon père vient de m'offrir un livre que j'ai déjà !

Tu vas le mettre dans une Givebox !

Les verbes en *-dre* comme *perdre*

3 PAR DEUX. **Trouvez le contraire de chaque verbe et conjuguez-le à la même personne. Puis comparez avec les autres élèves.**

je donne | tu gagnes | on achète | ils montent | vous posez une question

Si + présent

4 EN PETITS GROUPES. **Fabriquez quatre étiquettes sur le thème de l'avenir du monde avec un résultat futur ou un conseil à l'impératif. Distribuez-les à un autre groupe, qui imagine les conditions au présent (avec *si*).**

Il n'y aura plus d'eau dans 30 ans...

... si nous ne l'économisons pas !

Gaspillons moins...

... si nous voulons avoir moins de déchets !

Entraîne-toi

PHONÉTIQUE. L'accent d'insistance

5 (81) **Lis les phrases avec un accent d'insistance. Puis écoute pour vérifier.**

a. Mon vélo est cassé. C'est bête !
b. C'est génial, bravo !
c. Tu l'as jeté ? C'est dommage !
d. Tu as réussi, bien joué !
e. Oh, non ! Quel gaspillage !

La consommation et le développement durable

6 **Associe les mots aux définitions.**

en bon état | d'occasion | une publicité | un consommateur | une bonne affaire

a. Une personne qui achète et qui utilise des produits.
b. Un achat qu'on fait à un bon prix.
c. Qui a déjà été utilisé.
d. Une affiche ou un petit film qui décrit les qualités d'un produit.
e. Pas abîmé, pas cassé.

7 **Observe les dessins et dis ce qu'ils font. Aide-toi de la liste de vocabulaire page 65.**

a

b

c

d

▸ Le passé récent

8 **Transforme les phrases au passé récent, comme dans l'exemple.**

▸ *Lucile va acheter un nouveau téléphone.*
> *Elle vient d'acheter un nouveau téléphone.*

a. Vous allez jeter votre vélo cassé.
b. Tu vas réparer ton sac.
c. Ils vont mettre des livres dans une Givebox.
d. Il va me prêter son pull rouge.
e. Nous allons échanger des livres.

▸ Les verbes en *-dre* comme *perdre*

9 (82) **Écoute les formes verbales puis conjugue-les au pluriel.**

▸ *J'entends.* > *Nous entendons.*

▸ Le futur simple

10 **Conjugue les verbes au futur simple. Puis dis si tu es d'accord ou non avec ces phrases.**

a. Dans trente ou quarante ans, les voitures n'(exister) plus !

b. Bientôt, tout le monde (devoir) manger bio !

c. Quand on (être) adultes, la planète (aller) très mal !

d. Les gens ne (vouloir) jamais consommer moins !

e. Nous, les ados, nous ne (voir) pas la fin du monde !

f. Nous (pouvoir) toujours trouver des solutions aux problèmes de la planète.

g. Il y (avoir) toujours des déchets sur la Terre !

h. Bientôt, tout le monde (comprendre) qu'il faut faire des efforts.

▸ Exprimer un espoir

11 **Observe les dessins et imagine ce qu'ils espèrent.**

a.

b.

c.

▸ *Si* + présent

12 **Associe pour former cinq phrases. Puis conjugue les verbes au présent, au futur simple ou à l'impératif. Ajoute la ponctuation.**

- si tout le monde (faire) des efforts
- si tu ne (vouloir) pas les jeter
- si on (mettre) des objets dans une Givebox
- si vous (avoir) peur de la fin du monde
- si vous n'(aller) plus au supermarché
- vous (réduire) vos déchets
- (changer) de comportement
- on (arriver) à changer le monde
- (donner) ou (revendre) tes vieilles affaires
- on leur (donner) une seconde vie

Évaluation

1 Écoute et réponds. ... /5

a. Vrai ou faux ? Justifie tes réponses.

1. Alex et sa sœur vendent leurs vieilles affaires dans un vide-greniers.
2. Alex va donner l'argent qu'il gagne à ses parents.
3. Judith est déçue parce qu'Alex ne garde pas l'argent pour lui.
4. Alex est content parce qu'il a vendu un blouson à Judith.

b. Selon Alex, le vide-greniers rend tout le monde heureux. Pourquoi ? Trouve deux raisons.

2 PAR DEUX. Comment imaginez-vous le monde en 2040 ? Trouvez cinq idées chacun(e) et discutez ensemble. ... /5

Moi, je pense qu'on trouvera des solutions pour les déchets parce que...

Pas moi ! À mon avis, il n'y aura plus de déchets en 2040 !

3 Lis l'article et réponds. ... /5

Limiter ses déchets, c'est vraiment possible ? « Oui ! » répondent Jérémie, Bénédicte et leurs deux enfants, qui viennent d'écrire un livre pour raconter leur expérience.

Ils voyaient trop souvent des déchets partout sur les plages près de chez eux, alors ils ont décidé de changer leur mode de vie.

Le changement a commencé avec les courses : finis les papiers ou les sacs plastique ; ils ont dû trouver des solutions pour mettre les produits qu'ils achètent dans des pots, des boîtes... et puis changer de lieux d'achats. Ils ne font plus leurs courses alimentaires au supermarché. Et pour les autres produits, il reste une question : si on achète un jouet en plastique, par exemple, est-ce qu'on pourra le recycler ? La famille « presque zéro déchet » a donc choisi de faire moins d'achats et d'acheter d'occasion : vêtements, jouets, meubles... Aujourd'hui, on échange et on vend tout sur Internet ou dans les vide-greniers !

Et voilà comment ils ont limité leurs déchets : une poubelle de 10 litres et une poubelle de déchets recyclables de 30 litres par mois. 90 % de déchets en moins, bravo !

▸ La suite de leur histoire sur leur blog : famillezerodechet.com.

a. Où peut-on lire les aventures de la famille « presque zéro déchet » ?

b. Pourquoi ont-ils décidé de changer de mode de vie ?

c. Qu'est-ce qui a changé dans leur manière de faire les courses alimentaires ?

d. Pour les autres achats, quel choix ont-ils fait ?

e. Est-ce que la famille a zéro déchet aujourd'hui ?

4 Écris un mail à un(e) ami(e). Propose-lui de participer avec toi au concours « Seconde vie ». Explique quel objet tu viens de retrouver, comment vous pouvez le transformer, ce qu'il deviendra et pourquoi c'est important de recycler des objets. (40 à 50 mots) ... /5

Concours **seconde vie**

Spécial ados (13-16 ans)

Recycle un vieil objet et envoie la photo à : concourssecondevie.com

... /20

Prêts pour l'étape 6 ?

Saveurs

ÉTAPE 6

1 Quels aliments préfères-tu ? Lesquels détestes-tu ?

2 Vas-tu souvent au restaurant ? Quel genre de restaurant ?

3 Achètes-tu souvent des aliments dans des distributeurs ? Lesquels ?

Apprenons à…
- parler des aliments et des saveurs
- comparer des types de restauration
- commander au restaurant

VIDÉO SÉQUENCE 6

Et ensemble…
inventons un distributeur de nourriture pour le collège

LEÇON 1

Parlons des aliments et des saveurs

1 Dans *C'est toujours bien*, Philippe Delerm parle de souvenirs agréables de son enfance. Ici, il se rappelle comment il mangeait sa purée...

Faire un volcan de purée

[…] Une purée ne doit être ni trop molle ni trop dure. […] Et puis, il faut manger la purée seule. […] La purée seule, avec pas mal de beurre […], c'est un délice. […] Quand on vous sert de la purée, il faut qu'elle soit beaucoup trop chaude : sinon, vous n'aurez jamais le temps de faire une galette ou un volcan.

5 On fait d'abord une galette. […] Avec le dos de la fourchette, on commence à dessiner des rayures, très régulières. En général, on fait d'abord toute la surface dans le même sens, puis dans l'autre sens. […]

À ce moment-là, on mange deux ou trois bouchées. La purée quadrillée est encore meilleure, plus légère, plus fine. Mais […] il faut en garder assez pour construire un volcan.

10 On fait d'abord une montagne, au centre de l'assiette. En haut, il faut couper le sommet d'un petit coup de fourchette, et même creuser un trou. C'est là qu'on va mettre juste un peu de jus […]. On refait les rayures sur les pentes de la montagne, et on a à peu près une minute pour s'évader* dans ce paysage.

– Mange quand même pendant que c'est chaud !

C'est toujours bien, Philippe Delerm, éditions Milan, 1998.

* se promener

1 **Observe la photo du texte 1, puis lis la présentation et le titre du texte. Réponds.**

a. De quel souvenir parle l'auteur ?

b. Quelle forme avait le plat présenté ?

2 **Lis le texte 1.**

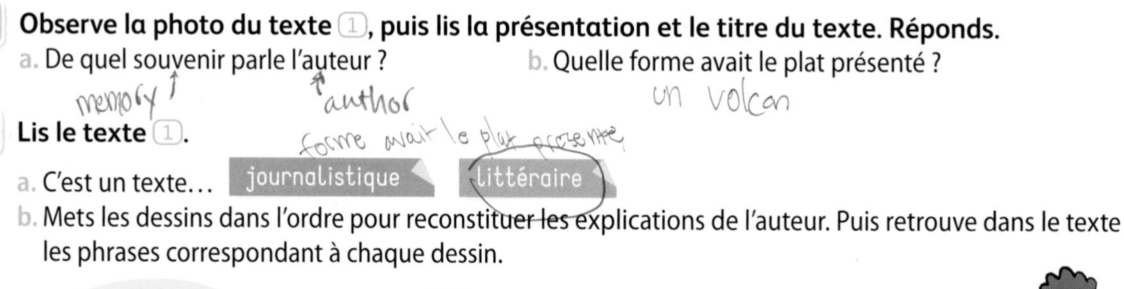

a. C'est un texte… journalistique littéraire

b. Mets les dessins dans l'ordre pour reconstituer les explications de l'auteur. Puis retrouve dans le texte les phrases correspondant à chaque dessin.

c. Relis la dernière phrase du texte. Selon toi, qui parle ?

3 **Relis le texte 1 et choisis la ou les bonne(s) réponse(s).**

a. La purée doit être…
1. molle.
2. dure.
3. très chaude.
4. très froide.

b. La purée avec du beurre…
1. c'est très bon.
2. ce n'est pas très bon.

c. La purée quadrillée avec la fourchette est…
1. plus légère.
2. moins bonne.
3. plus fine.

2

De l'art dans l'assiette

Quand tu étais enfant, que faisaient tes parents pour te faire goûter les plats ou les aliments que tu ne voulais pas manger ? Volcan de purée, saucisses-pieuvres, crêpes-papillons... Souviens-toi !

Les légumes, je trouvais ça dégoûtant. Je détestais le goût amer du chou-fleur, j'avais horreur des carottes cuites... Alors mon père décorait mes plats d'une manière très drôle ! Ça avait l'air bon et je mangeais quelques bouchées.

Gabriel 14 ans

Moi, quand j'étais petit, je n'aimais pas les choses sucrées. Beurk ! Je détestais ça ! Alors ma mère faisait des paysages ou des animaux avec les fruits. Elle était super patiente ! Maintenant, le sucré, je trouve ça délicieux !

Anaïs 13 ans

Mes parents cuisinaient très mal : c'était fade, ou trop salé, ou trop acide, ou trop épicé... Mais leurs plats étaient toujours très jolis et appétissants donc je mangeais de tout : fruits, légumes, viande, poisson... Et maintenant, c'est moi qui fais la cuisine, quand je peux !

Et toi, mangeais-tu un plat ou un aliment d'une manière particulière quand tu étais enfant ? Raconte et fais un ou plusieurs dessin(s).

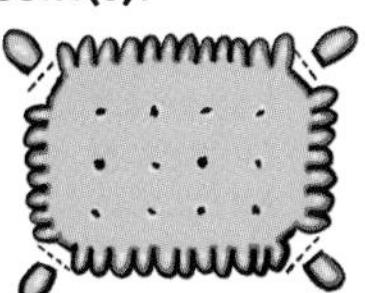

Moi, je mangeais d'abord les quatre coins des biscuits.

5 **Lis l'article 2. De quoi parlent ces ados ?**

Relis l'article 2.

a. Trouve dans le texte les équivalents des expressions suivantes.

- Je trouvais ça très mauvais.
- Je trouve ça très bon.
- Ça n'avait pas de goût.
- Il y avait trop de sel.
- Ça paraissait bon.

b. Qu'est-ce qu'ils n'appréciaient pas quand ils étaient enfants ? Justifie avec des phrases du texte.

c. Des trois ados, qui a changé de goût depuis son enfance ?

Pour donner une appréciation sur la nourriture

J'aime ça. J'adore ça. Je trouve ça délicieux.
C'est délicieux / C'est un délice.
Ça a l'air bon.

Je n'aime pas ça. Je déteste ça. J'ai horreur de ça.
Beurk !* / Berk !*
C'est dégoûtant.

* familier

n° 1 p. 84

EN PETITS GROUPES. **Quels plats ou aliments détestais-tu / adorais-tu quand tu étais enfant ? Pourquoi ? Trouve un(e) camarade qui a les mêmes goûts que toi.**

Je détestais les yaourts parce que je trouvais ça trop mou.

Moi, j'adorais le curry parce que j'aimais bien les plats épicés.

EN PETITS GROUPES. **Apportez de la nourriture en classe et faites un concours de dégustation avec les yeux bandés. Dites quels goûts vous reconnaissez et si vous appréciez. Puis devinez quels aliments ou plats vous goûtez.**

C'est mou et c'est sucré. Je trouve ça bon. C'est du yaourt !

VOCABULAIRE

La nourriture (1)

une bouchée
un chou-fleur
une crêpe
une galette
la purée
une saucisse

appétissant(e)
cru(e) ≠ cuit(e)
dégoûtant(e)
délicieux, délicieuse
dur(e) ≠ mou, molle

goûter
cuisiner / faire la cuisine
servir

Les saveurs

acide
amer, amère
épicé(e)
fade
salé(e)
sucré(e)

Les ustensiles (1)

une assiette
une fourchette

n° 5 p. 84

LEÇON 2

Comparons des types de restauration

1 **Lis l'article et choisis la ou les bonne(s) réponse(s).**

a. On parle de… restaurants traditionnels / cantines scolaires / camions-restaurants

b. La nourriture proposée est… variée / mauvaise pour la santé / à manger chez soi / à manger tout de suite / toujours la même / bonne pour la santé

LA FOLIE DES FOOD TRUCKS !

Aujourd'hui, « fast-food » ne rime plus avec « junk food* » : on peut manger vite, bien et pas cher… dans la rue ! C'est ce que proposent les « camions-cantines » ou « camions-restos », avec des produits variés et de qualité, à consommer sur place ou à emporter.

>>>>>>>> QUEL CAMION-RESTO CHOISIR, SELON SA FAIM ET SES ENVIES ?

LE BURGER MOBILE

Une petite faim ? Goûte ces délicieux burgers accompagnés de frites maison. Ici, pas de surgelés ! Et si tu as soif, bois un jus de fruits frais, pressé devant toi !

Le mot du chef :
« Ici, on prépare tout sur place et on te sert tout de suite ! »

LE YAOURT BUS

Marie et Julie servent de très bonnes pâtisseries maison et du yaourt à boire fait avec des fruits de saison.

Le mot des chefs :
« Vous sentez ce doux parfum de gâteaux en train de cuire et de fruits frais ? Ça vient de chez nous ! »

LE BREIZH CAM'

Dans ce camion, ça sent bon la Bretagne…
Choisis les ingrédients qui composent ta galette ou ta crêpe, et déguste !

Le mot du chef :
« Nous servons à toute heure de vraies crêpes et galettes bretonnes, faites avec des produits bio. »

* nourriture de mauvaise qualité

2 **Relis l'article.**

a. Réponds et justifie avec des phrases du texte.
Quel camion choisis-tu…
1. si tu veux manger très rapidement ?
2. si tu veux boire une boisson fraîche préparée sur place ?
3. s'il est très tard et que tout est fermé ?
4. si tu adores les produits laitiers et les gâteaux ?
5. si tu veux goûter une spécialité d'une région française ?

b. Retrouve dans les phrases relevées (activité a) les formes verbales des verbes suivants.

1 servir

2 sentir

3 boire

86 Les verbes comme *servir* et *sentir*

Servir	Sentir
je sers	je sens
tu sers	tu sens
il/elle/on sert	il/elle/on sent
nous servons	nous sentons
vous servez	vous sentez
ils/elles servent	ils/elles sentent

Autres verbes : *dormir* (*je dors, nous dormons*), *sortir* (*je sors, nous sortons*), *partir* (*je pars, nous partons*), etc.

▸ n° 6 p. 84-85

87 Le verbe *boire*

je bois	nous buvons
tu bois	vous buvez
il/elle/on boit	ils/elles boivent

▸ n° 6 p. 84-85

3 EN PETITS GROUPES. **Quel camion préfères-tu ? Pourquoi ? Compare ton choix avec tes camarades.**

Moi, je préfère le Breizh Cam' parce qu'on y sert… Et j'adore ça !

4 **Observe le document et réponds.**

a. Qu'est-ce que c'est ?
b. Que s'est-il passé dans ce collège ?

www.collegepaulvalery.fr/blog

Collège Paul Valéry

On est passés à la radio : écoutez ici !

Expérience : un food truck dans la cour !

Dans notre collège, pendant la Semaine du goût, un food truck est venu s'installer dans la cour. Au menu de cette cantine pas comme les autres : des recettes du monde, des plats faciles à manger et bons pour la santé !

5 88 **Écoute et réponds.**

a. Qu'est-ce que le journaliste demande aux ados de comparer ? compare food truck to cantine
b. Qui a une opinion plutôt positive sur cette expérience ? Et plutôt négative ?

Louis | Carla | Nina | Paul

P

6 88 **Réécoute. Vrai ou faux ? Justifie tes réponses.**

Louis : Manger au food truck, c'est aussi agréable qu'au self.

Carla : La nourriture du food truck est meilleure qu'à la cantine.
Carla : Manger au food truck, c'est moins bien qu'au self.

Nina : Au food truck, il y a autant de choix qu'à la cantine.
Nina : Il y a plus de monde au food truck qu'au self.

Paul : Au food truck, la nourriture est plus variée qu'à la cantine.

7 PAR DEUX. **Choisissez chacun(e) un mode de restauration et comparez-les.**

un food truck | une cantine | un repas à la maison | un fast-food | un restaurant | un pique-nique

– Manger à la maison, c'est meilleur pour la santé que manger au restaurant !
– Oui, mais à la maison, il y a moins de choix qu'au restaurant !

Action !

8 EN PETITS GROUPES. **Imaginez et présentez un food truck original, sur le modèle du document de l'activité 1 (donnez son nom, le type de cuisine proposé, ses spécialités et « le mot du chef »). La classe vote pour le plus original.**

Le mot du chef :
C'est aussi bien qu'à la maison !

89 Le comparatif

Avec un adjectif ou un adverbe : *plus* (+) / *moins* (–) / *aussi* (=).
C'est plus sympa (qu'au self).
C'est moins bien (que le self de la cantine) ?
La nourriture du camion n'est pas aussi variée (qu'à la cantine).

Avec un nom : *plus de / d'* (+) / *moins de / d'* (–) / *autant de / d'* (=).
Il y a moins de choix (qu'à la cantine).
Ça a plus de goût (que la cuisine française).
Il y a autant de monde (qu'au self).

⚠ ~~Plus bien~~ > mieux : Je trouve ça mieux !
~~Plus bon(ne)(s)~~ > meilleur(e)(s) : La nourriture est meilleure (qu'à la cantine) !

▶ n° 2, 7 et 8 p. 84-85

90 VOCABULAIRE

Les lieux de restauration

un camion-restaurant / un camion-cantine
une cantine
un restaurant = un resto (fam.)
un self

Les plats et les produits

à emporter ≠ (à consommer) sur place
de saison
(fait) maison
frais, fraîche ≠ surgelé(e)

LEÇON 3

Commandons au restaurant

1 **Lis l'article. Qu'est-ce que le « Restaurant Day » ? Qui peut participer ? Où ?**

RESTAURANT DAY : LE CARNAVAL CULINAIRE MONDIAL

Le principe est simple : tout le monde peut devenir « chef d'un jour » et ouvrir son propre restaurant pendant une journée. C'est facile, drôle et gratuit !

Restaurant Day, c'est quand ? C'est où ?
Des « Restaurant Day », on en célèbre quatre par an : en février, en mai, en août et en novembre. Et des « chefs d'un jour », tu pourras en trouver dans plus de trente pays et des centaines de villes !

Trouve des « restaurants d'un jour » près de chez toi
Tu as envie de manger du couscous, de la paella, des pâtes ? Tu veux savoir s'il y a des restaurants qui en servent autour de chez toi ? Télécharge l'appli sur ton portable et tu en trouveras sûrement plusieurs !

Ouvre ton propre « restaurant d'un jour »
Il n'y en a pas dans ton quartier ? Pourquoi ne pas en ouvrir un avec tes parents ou tes copains ? Dans un parc, sur un parking, dans ton jardin... Où tu veux !

2 **Relis l'article. Réponds et justifie avec une phrase du texte.**

a. Il y a combien de « Restaurant Day » par an ?
b. Que faut-il faire pour trouver des « restaurants d'un jour » qui servent de la paella, du couscous ou des pâtes ?
c. Que peux-tu faire s'il n'existe pas de « restaurant d'un jour » dans ton quartier ?

Le pronom COD *en*

En remplace un COD précédé :

- d'un article indéfini :
  Tu pourras trouver des chefs d'un jour dans plus de trente pays.
  > Tu pourras en trouver dans plus de trente pays.
  Pourquoi ne pas ouvrir un restaurant ?
  > Pourquoi ne pas en ouvrir un ?
- d'un article partitif :
  Tu veux savoir s'il y a des restaurants qui servent du couscous, de la paella, des pâtes autour de chez toi ?
  > Tu veux savoir s'il y a des restaurants qui en servent autour de chez toi ?
- d'un nombre :
  On célèbre quatre « Restaurant Day » par an.
  > On en célèbre quatre par an.
- d'une expression de quantité :
  Tu trouveras plusieurs restaurants.
  > Tu en trouveras plusieurs.

n° 3, 9 et 10 p. 84-85

PHONÉTIQUE

La liaison avec le pronom *en*

Lis les phrases suivantes et fais la liaison aux endroits indiqués. Puis écoute pour vérifier.

a. On **en** célèbre quatre par an.
b. Tu pourras **en** trouver dans plus de trente pays.
c. Il n'y **en** a pas dans ton quartier ?
d. Pourquoi ne pas **en** ouvrir **un** ?

n° 11 p. 85

3 PAR DEUX. **Pose des questions à ton/ta camarade sur les restaurants près de chez lui/elle, comme dans les exemples.**

Il y a beaucoup de restaurants près de chez toi ?
Oui, il y en a...

Est-ce qu'ils servent des spécialités étrangères ?
Oui / Non, ...

Il n'y a pas de... ?
Si, il...

Observe le menu et écoute.

a. Note la commande des clients.

b. Observe les photos. Qu'est-ce que la cliente ne veut pas ? Qu'est-ce que Sophie a oublié ?

La carafe

Les couverts

L'huile et le vinaigre

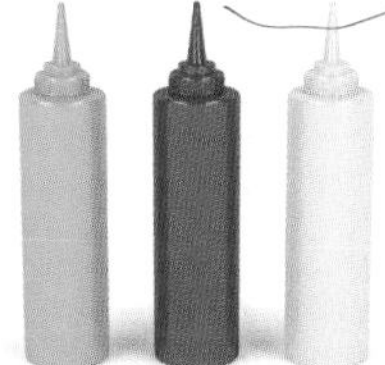
La moutarde, le ketchup, la mayonnaise

Le sel et le poivre

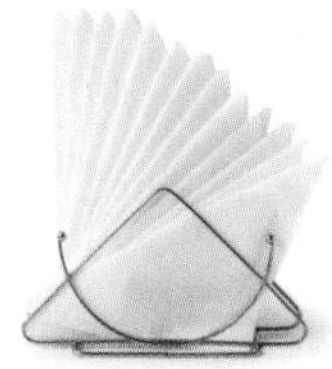
Les serviettes

Les verres

Réécoute. Qui parle ? Associe.

a. Vous avez choisi ?
b. Je vais prendre…
c. Je voudrais… / On voudrait…
d. C'est tout ?
e. Je vous apporte ça tout de suite !
f. Bon appétit !
g. Je peux/pourrais avoir… ?
h. Que désirez-vous ? / Vous désirez autre chose ?
i. Vous voulez boire quelque chose ?

Pour passer une commande au restaurant et demander poliment

Vous avez choisi ?
Que désirez-vous ? / Vous désirez autre chose ?
C'est tout ?
Je vous apporte ça tout de suite !
Vous voulez boire quelque chose ?
Bon appétit !

Je vais prendre une soupe.
Je voudrais une salade.
Je peux/pourrais avoir une carafe d'eau ?
En dessert / En entrée / En plat principal…

Pour demander poliment, on utilise le conditionnel présent : *je voudrais / on voudrait / je pourrais / on pourrait / tu pourrais / vous pourriez.*

n° 12 et 13 p. 85

EN PETITS GROUPES. **Vous voulez monter un restaurant d'un jour pour le « Restaurant Day ». Où allez-vous l'ouvrir ? Qui va participer : cuisiner, préparer la table, servir les clients… ? Quel menu allez-vous proposer ? De quels ustensiles et condiments allez-vous avoir besoin ?**

Action !

EN PETITS GROUPES. **Vous avez monté votre restaurant d'un jour. Proposez votre menu à vos camarades, qui passent commande.**

VOCABULAIRE

Les ustensiles (2)

les couverts : un couteau, une cuillère (à soupe / à café), une fourchette • une carafe (d'eau) • une corbeille (de pain) • une serviette • un verre

Les condiments

l'huile
le ketchup
la mayonnaise
la moutarde
le poivre
le sel
le vinaigre

La nourriture (2)

un cookie
un couscous
une paella
une soupe

n° 4 p. 84

DOSSIER : L'ALIMENTATION DES FRANÇAIS

Cliché ou pas ?

C'est bien connu, les Français sont de gros mangeurs de fromage, de cuisses de grenouilles, d'escargots, de croissants et de sandwichs... Mais c'est VRAI ou c'est FAUX ?!

Cliché 1 LES FRANÇAIS SONT LES PREMIERS CONSOMMATEURS DE FROMAGE

FAUX !

Le fromage est le produit laitier préféré des Français, devant le yaourt. Il existe plus de 1 000 variétés de fromages en France et les Français en consomment environ 25 kilos par an et par habitant ! Mais les Grecs mangent encore plus de fromage : 25,4 kilos par an et par habitant...

Cliché 2 LA FRANCE EST LE PAYS DES CUISSES DE GRENOUILLES ET DES ESCARGOTS

VRAI !

D'autres peuples aussi sont fans de cuisses de grenouilles (les Tchèques, les Indiens...) et d'escargots (les Espagnols, les Guinéens...), mais les Français en mangent beaucoup : ils consomment 80 millions de grenouilles et 15 millions d'escargots par an !

Cliché 3 EN FRANCE, C'EST CROISSANT TOUS LES MATINS

FAUX !

Les Français ne mangent pas des croissants à chaque petit déjeuner ! Ils en mangent parfois le week-end ou quand ils sont en vacances... Et c'est mieux pour la santé car un croissant, c'est gras et plein de sucre !

Cliché 4 LA FRANCE EST LE PAYS DU « JAMBON-BEURRE »

VRAI !

Le « jambon-beurre », c'est une tranche de jambon dans une demi-baguette beurrée. C'est le sandwich préféré des Français. Mais, depuis quelques années, il est en compétition avec le hamburger !

EN PETITS GROUPES

1 **Connaissez-vous des spécialités culinaires françaises ? En avez-vous déjà goûté ? Si oui, avez-vous aimé ?**

2 **Lis le titre et l'introduction de l'article. À ton avis, qu'est-ce qu'un « cliché » ?**

- une explication sur l'origine de certains plats
- une idée vraie sur les habitants d'un pays
- une idée toute faite, et souvent fausse

3 **Lis l'article. Vrai ou faux ?**

a. Les Français mangent plus de fromage que tous les autres Européens.
b. En France, on mange des croissants tous les matins, au petit déjeuner.
c. Les Français aiment les hamburgers.
d. Les Français ne sont pas les seuls à manger des cuisses de grenouilles et des escargots.
e. C'est bon pour la santé de manger beaucoup de croissants.

EN PETITS GROUPES

4 **Choisissez un cliché sur votre pays. Ce cliché est-il vrai ou faux ? Rédigez un petit texte, comme dans l'article.**

SCIENCES DE LA VIE ET DE LA TERRE

5 Lis les informations ci-contre et réponds.

a. Quels sont les aliments essentiels à notre santé ? Quels sont les aliments à limiter ? Justifie tes réponses.

b. Qu'apportent les aliments cités dans l'article (page 82) ?

Les fruits et légumes
→ Des vitamines et des minéraux pour rester en forme.
La viande, le poisson et les œufs
→ Des protéines pour fabriquer les muscles.
Les féculents : les céréales, les légumes secs, les pommes de terre
→ De l'énergie pour tenir jusqu'au repas suivant.
Les matières grasses
→ Des lipides pour constituer nos cellules.
Mais attention : en consommer trop est mauvais pour la santé !
Les produits sucrés
→ Des calories, mauvaises pour la santé.

Les produits laitiers
→ Du calcium et de la vitamine D pour les os.

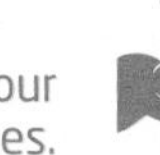

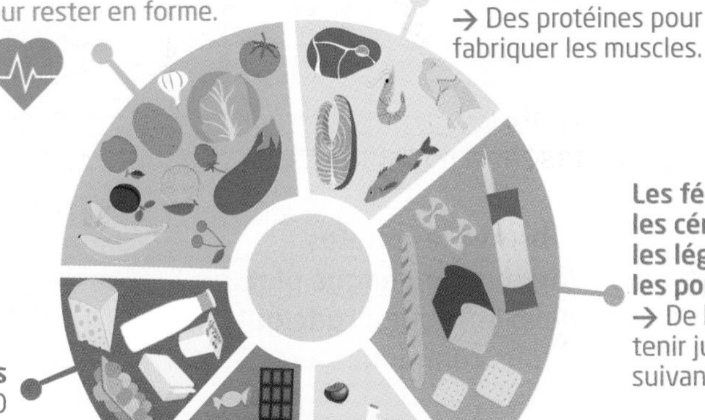

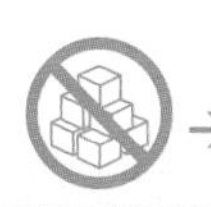

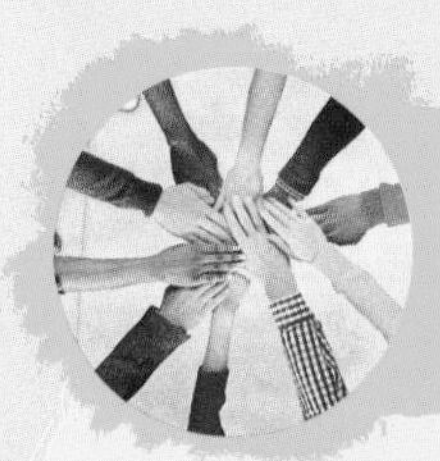

ENSEMBLE POUR...

inventer un distributeur de nourriture pour le collège

1 AVEC LA CLASSE Quel type d'aliments peut-on trouver aujourd'hui dans les distributeurs ? Classez-les par catégories.

bon pour la santé

mauvais pour la santé

sucré | salé | ...

2 EN PETITS GROUPES Imaginez un nouveau concept de distributeur de nourriture. Choisissez ensemble le type de produits. Attention : ils doivent être bons pour la santé, faciles à emporter et pas trop chers !

Nos produits : des petits gâteaux faits maison, avec des ingrédients bio et peu sucrés.

0,80€
1€
DÉLICE CHOCO
Délice Framboise

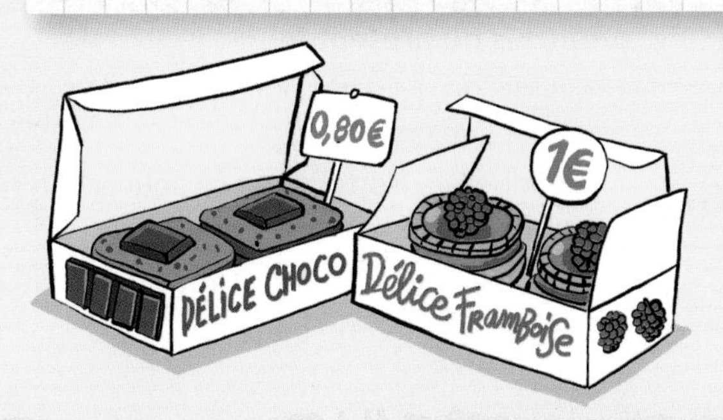

3 Préparez un court texte pour expliquer le choix des produits proposés aux futurs consommateurs. Donnez un nom à votre distributeur.

Le Distridélices vous propose de délicieux goûters, bons pour votre santé : pas trop gras, pas trop sucrés...
Le DistriDélices
DÉLICE CHOCO
Délice FramBoise

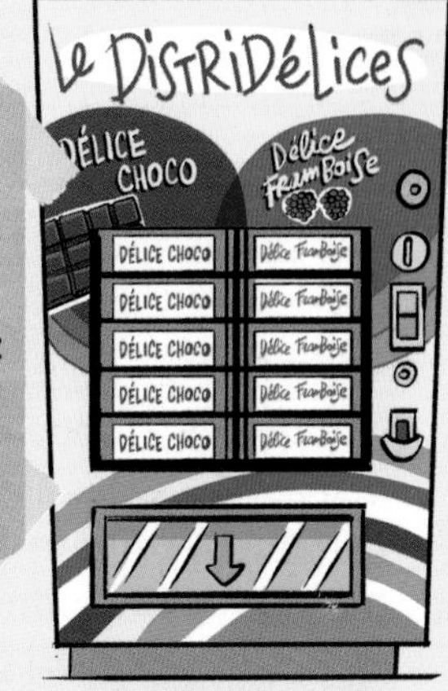

4 Comparez les distributeurs des différents groupes et votez pour le meilleur.

POUR ALLER PLUS LOIN

Proposez votre idée de distributeur au directeur / à la directrice du collège.

VIDÉO SÉQUENCE 6

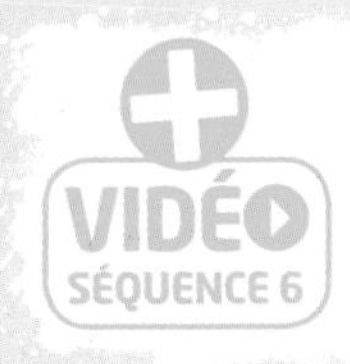

Entraînement

Entraînons-nous

Donner une appréciation sur la nourriture

1 EN PETITS GROUPES. **Observe les photos. Donne une appréciation pour chaque plat ou aliment. Puis trouve le/la camarade qui a le plus d'appréciations communes avec toi.**

Moi, le a, je trouve ça trop mou !

Moi, je trouve ça appétissant !

Le comparatif

2 EN PETITS GROUPES. **Faites des phrases pour comparer, comme dans l'exemple. Puis partagez vos réponses.**

manger à la cantine — rapide

Manger à la cantine, c'est moins rapide que dans un camion-resto.

a. la nourriture des fast-foods — variée

b. manger dans un camion-resto — cher

c. manger à la maison — temps

d. dans les selfs des cantines — plats à choisir

Le pronom COD *en*

3 PAR DEUX. **Pose trois devinettes en relation avec l'alimentation à ton/ta camarade. Utilise *en*. Il/Elle devine de quoi il s'agit.**

J'en bois tous les matins au petit déjeuner.

Du lait ?

Il y en a deux dans le quartier.

Des restaurants chinois ?

Les ustensiles et les condiments

4 EN PETITS GROUPES. **Observez le dessin pendant deux minutes, puis fermez votre livre. Qui nomme le plus d'ustensiles et de condiments ?**

Six assiettes...

Entraîne-toi

La nourriture et les saveurs

5 **Choisis la bonne réponse.**

a. Je trouve ça délicieux ! *Ce n'est pas bon ! / C'est bon !*

b. Mmm, ça a l'air bon ; c'est *appétissant / dégoûtant* !

c. Beurk ! C'est *un délice / très amer* !

d. Ce n'est pas assez cuit : c'est *cru / épicé* !

e. Ce bonbon est trop mou : il n'est pas assez *sucré / dur*.

f. C'est fade : ce n'est pas assez *salé / fin*.

Les verbes comme *servir*, *sentir* et le verbe *boire*

6 **Complète les phrases avec les verbes proposés au présent.**

a. Cet été, on … (partir) en Bretagne : on va manger de bonnes crêpes !

b. À midi, ils … (sortir) du lycée pour acheter à manger dans un food truck.

c. Je vous … (servir) ou vous vous … (servir) ?

d. Mmm, ça … (sentir) bon !

e. Pierre ne va pas dîner : il … (dormir) !
f. Vous … (boire) beaucoup d'eau ! Moi, je n'en … (boire) pas assez !

▸ Le comparatif

7 **Lis le texte et dis quel type de dessert préfère Clara.**

> Je mange plus de fruits que de galettes, mais je mange moins de fruits que de cookies. Je mange autant de cookies que de cupcakes, mais pour moi les cookies ne sont pas aussi bons que les crêpes.

8 **Complète avec *plus (de)* (+), *moins (de)* (–) ou *autant / aussi (de)* (=).**

– Tu n'aimes pas manger au self de la cantine ? Moi, je trouve que c'est … (= bon) qu'à la maison et qu'il y a … (= choix) !
– Moi, je trouve que c'est … (– varié) : chez moi, on mange … (+ plats) différents. Mon père cuisine très bien ; j'adore ses viandes en sauce !
– Il cuisine … (+ bien) que ta mère ?
– Oui ! Il est … (+ bon) cuisinier !

▸ Le pronom COD *en*

9 **Remplace les mots soulignés par le pronom *en*.**

▸ *Tu mets trop de beurre dans ta purée.*
> *Tu en mets trop dans ta purée.*

a. Il y a beaucoup de food trucks dans ta ville ?
b. On mange des pâtes tous les mercredis.
c. Vous voulez une cuillère ?
d. Tu dois manger au moins trois fruits par jour !
e. Tu veux de la sauce dans ta salade ?
f. Je voudrais un peu d'huile.

10 **Complète les dialogues en utilisant le pronom *en*.**

a. – Tu veux du café ?
– Non, je … . Merci !
b. – Vous prenez un dessert ?
– Oui, moi … : une glace !
– Non, merci, moi … .
c. – Vous voulez combien de saucisses ?
– Moi, … (3).
– Et moi, … (1).
d. – Il y a beaucoup de vinaigre dans cette sauce ?
– Non, il n'y … .

▸ PHONÉTIQUE. La liaison avec le pronom *en*

11 (96) **Lis les phrases suivantes. Si nécessaire, fais la liaison avant et/ou après *en*. Puis écoute pour vérifier.**

a. Il n'y a pas de pain ; j'en achète ?
b. Du couscous, on n'en a plus !
c. Ne mange pas tous les bonbons, tu dois en donner à ta sœur.
d. Il n'y a plus de gâteaux ? Vous en avez mangé combien ?

▸ Passer une commande au restaurant

12 **Complète le dialogue entre le serveur (S) et les clients (C1 et C2) avec les mots proposés.**

apporte · bon appétit · c'est tout · prendre · une carafe d'eau · un peu de sel · pourrais · voudrais · vous avez choisi · vous désirez

S : … ?
C1 : Moi, je … un hamburger avec des frites, s'il vous plaît.
S : Et vous ?
C2 : Moi, je vais … une galette au fromage.
S : Vous voulez boire quelque chose ?
C1 : Non, juste …, s'il vous plaît !
S : … autre chose ?
C1 : Non, … ; merci !
[…]
S : Et voilà ! … !
C1 et C2 : Merci !
[…]
C2 : Pardon, est-ce que je … avoir … ?
S : Oui, bien sûr ! Je vous l'… tout de suite !

▸ Demander poliment

13 **Transforme les phrases suivantes avec le conditionnel présent.**

▸ *Je peux avoir du sel, s'il vous plaît ?*
> *Je pourrais avoir du sel, s'il vous plaît ?*

a. Vous pouvez m'apporter du pain ?
b. On veut une soupe à la tomate !
c. Tu peux me passer l'eau, s'il te plaît ?
d. Moi, je veux le poisson et les frites.

Évaluation

Écoute et réponds. ... /5

a. Nina doit déjeuner à la cantine. Qu'est-ce qu'elle espère ?
b. Où déjeune Théo aujourd'hui ?
c. Quel type de cuisine sert-on au camion-resto où va Théo ?
d. Quels ingrédients composent la spécialité de ce camion ?
e. Que pense Théo de cette spécialité ?

PAR DEUX. **Fais une liste de cinq spécialités que tu aimes et échange avec ton/ta camarade. Il/Elle donne son appréciation sur ces spécialités.** ... /5

Moi, j'adore les sushis ! Je trouve ça...

Pas moi ! Je n'aime pas les sushis parce que je déteste le poisson cru ! Je préfère...

Lis l'article. Vrai ou faux ? Justifie tes réponses. 

La vérité sur les pizzas !

C'est bon, on les partage, on les mange avec les doigts... Quoi de plus sympa ? Mais il y a pizza et pizza...

Préparée traditionnellement, la pizza est un aliment très équilibré : elle contient des féculents (la farine complète), des protéines (fromage, œuf, poisson ou viande), des légumes pleins de vitamines, de l'huile d'olive pour le bon gras...
Mais la pizza achetée au supermarché ou servie dans les grandes chaînes de restauration est industrielle. Trop grasse et trop salée, elle nous apporte peu de bonnes choses. Elle devient donc un aliment à consommer avec modération !
Alors, pourquoi ne pas la fabriquer à la maison ? Fais toi-même la pâte avec de la farine de qualité, ne mets pas trop de sel et choisis des ingrédients frais et bons pour la santé (tomates fraîches pour la sauce, légumes du marché, viande de qualité...). À toi de faire de ta pizza un plat équilibré !

D'après un article du magazine *Okapi*.

a. Trois types de pizzas sont cités dans l'article.
b. La pizza traditionnelle est constituée d'ingrédients bons pour la santé.
c. La pizza qu'on trouve dans le commerce est aussi équilibrée que la pizza traditionnelle.
d. Pour faire une pizza, c'est mieux d'utiliser une pâte toute prête, achetée dans un supermarché, qu'une pâte faite maison.
e. Pour faire une pizza bonne pour la santé, c'est bien d'utiliser des ingrédients surgelés.

Écris un article intitulé « La vérité sur... ! » pour décrire un plat ou une spécialité de ton choix. Indique quand et comment on le/la mange, le type d'aliments qui le/la composent et ce qu'ils apportent. (50 à 60 mots) ... /5

La vérité sur les croissants !
...

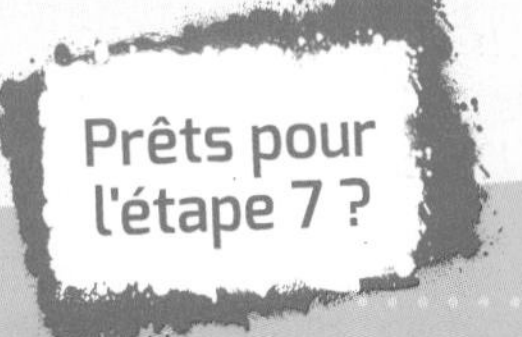

Vers le DELF A2 1 2 3 4

1 Compréhension de l'oral

Lis les questions. Écoute deux fois l'émission de radio, puis réponds aux questions.

a. Les Français jettent combien de kilos de déchets par an et par personne ?
   1. 480 kg.
   2. 590 kg.
   3. 695 kg.

b. Qu'est-ce qui est organisé dans les collèges et les lycées français ?

c. Qu'est-ce que la SERD ?

d. La SERD concerne…
   1. tous les pays du monde.
   2. seulement des pays européens.
   3. surtout les pays qui produisent beaucoup de déchets.

e. Cite deux exemples donnés par le journaliste pour améliorer la situation.

…/10

2 Compréhension des écrits

Tu es au restaurant en France avec ton ami et sa famille. Lis les menus, puis associe-les aux personnes 1 à 5.

a

b
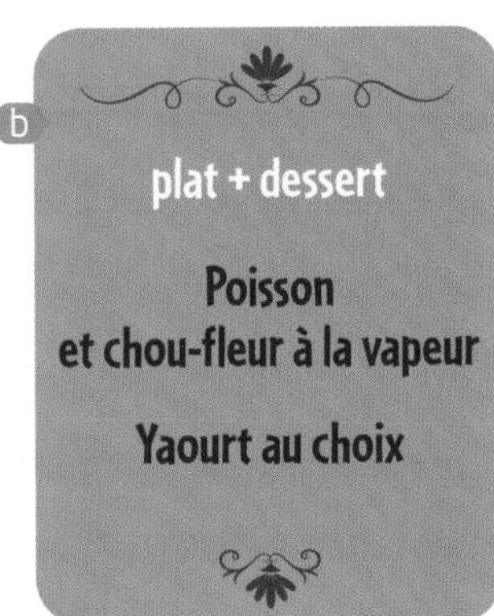

c
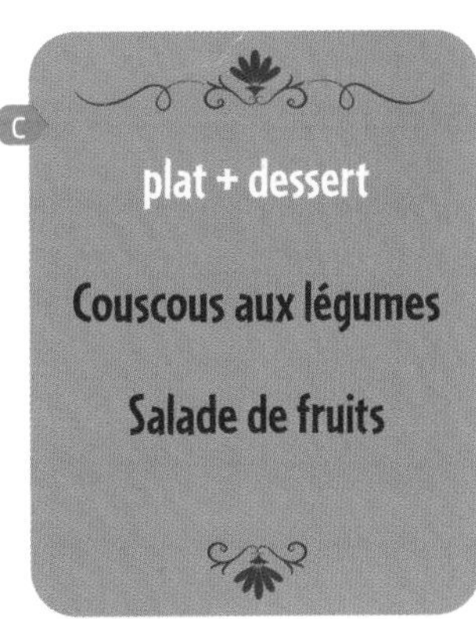

d
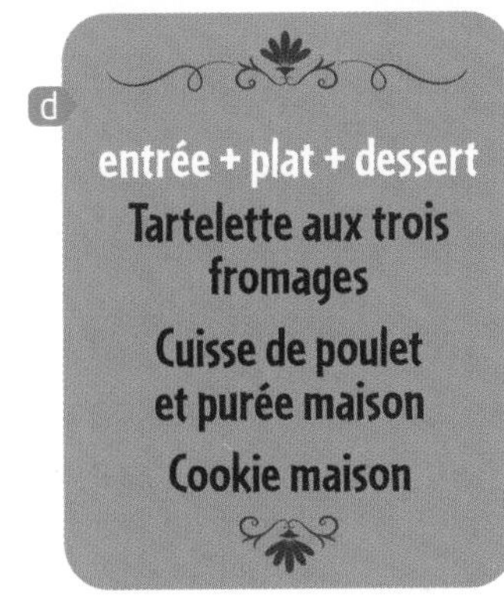

e
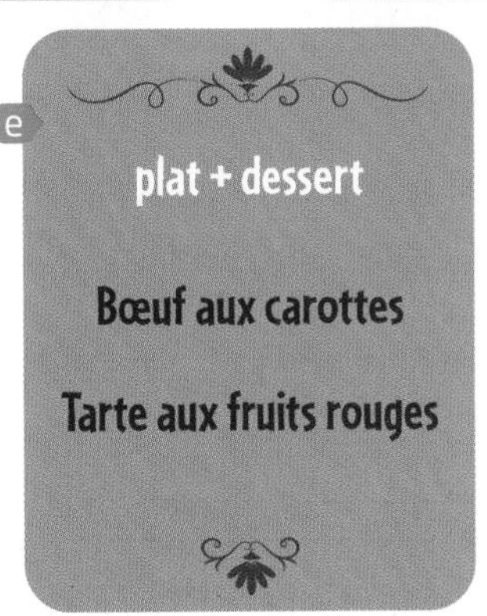

1. Ton ami adore les légumes mais ne mange pas de viande ni de poisson.
2. La mère de ton ami trouve les tartes aux fruits délicieuses mais n'aime pas la salade de fruits.
3. Le père de ton ami aime la viande mais pas le bœuf.
4. La sœur de ton ami aime beaucoup les pommes de terre mais n'aime pas la purée.
5. Le frère de ton ami aime beaucoup de produits laitiers mais pas le fromage.

…/10

3 Production écrite

Exercice 1 (.../5)

**Tu as participé à une journée contre le gaspillage dans ton collège.
Tu écris à un ami(e) français(e) pour lui raconter cette journée. Tu lui parles de l'organisation de la journée et des solutions proposées pour mieux consommer.
Tu dis aussi ce que tu as pensé de cette journée.** (60 mots minimum)

Exercice 2 (.../5)

**Le week-end dernier, tu as mangé dans un camion-resto très bon et pas cher.
Tu écris un mail à un(e) ami(e) français(e) pour lui proposer d'y aller ensemble samedi.
Tu lui expliques pourquoi tu veux lui faire découvrir ce camion-resto.
Tu lui dis ce que tu y as mangé et comment tu as trouvé les plats.** (60 mots minimum)

.../10

4 Production orale

Exercice 1 ▸ pour s'entraîner à la partie 1 de l'épreuve orale : l'entretien dirigé (.../2)

Tu te présentes. Tu parles de toi et de ta famille. Tu parles de vos habitudes alimentaires.

Exercice 2 ▸ pour s'entraîner à la partie 2 de l'épreuve orale : le monologue suivi (.../4)

Au choix :

MON PLAT PRÉFÉRÉ
Quel est ton plat préféré ?
Décris-le. Il a quelle(s) saveur(s) ?
Pourquoi est-ce ton plat préféré ?

CONTRE LE GASPILLAGE
Que fais-tu pour éviter le gaspillage (chez toi, au collège…) ?
Pourquoi est-ce important pour toi de faire attention au gaspillage ?

Exercice 3 ▸ pour s'entraîner à la partie 3 de l'épreuve orale : l'exercice en interaction (.../4)

Par deux :

Pour la fin de l'année scolaire, ton ami(e) et toi organisez un pique-nique en classe. Vous vous mettez d'accord sur ce que vous allez préparer comme plats (entrée, plat principal, dessert). Vous décidez ensemble des aliments que vous allez acheter, de l'endroit où vous allez les acheter (supermarché, marché…) et de leur quantité pour ne pas consommer plus que nécessaire.

.../10

.../40

Bien-être

ÉTAPE 7

1 Quels sont les moments agréables de ta journée ?

2 Avec qui préfères-tu parler quand tu as un problème ? Pourquoi ?

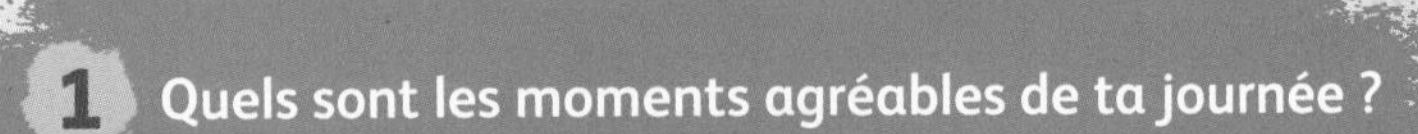

3 Es-tu souvent stressé(e) ? Pourquoi ?

Apprenons à…
- parler de notre bien-être
- parler de nos problèmes et trouver des solutions
- parler de nos expériences les plus fortes

Et ensemble…
organisons au collège une journée contre le stress

VIDÉO SÉQUENCE 7

LEÇON 1

Parlons de notre bien-être

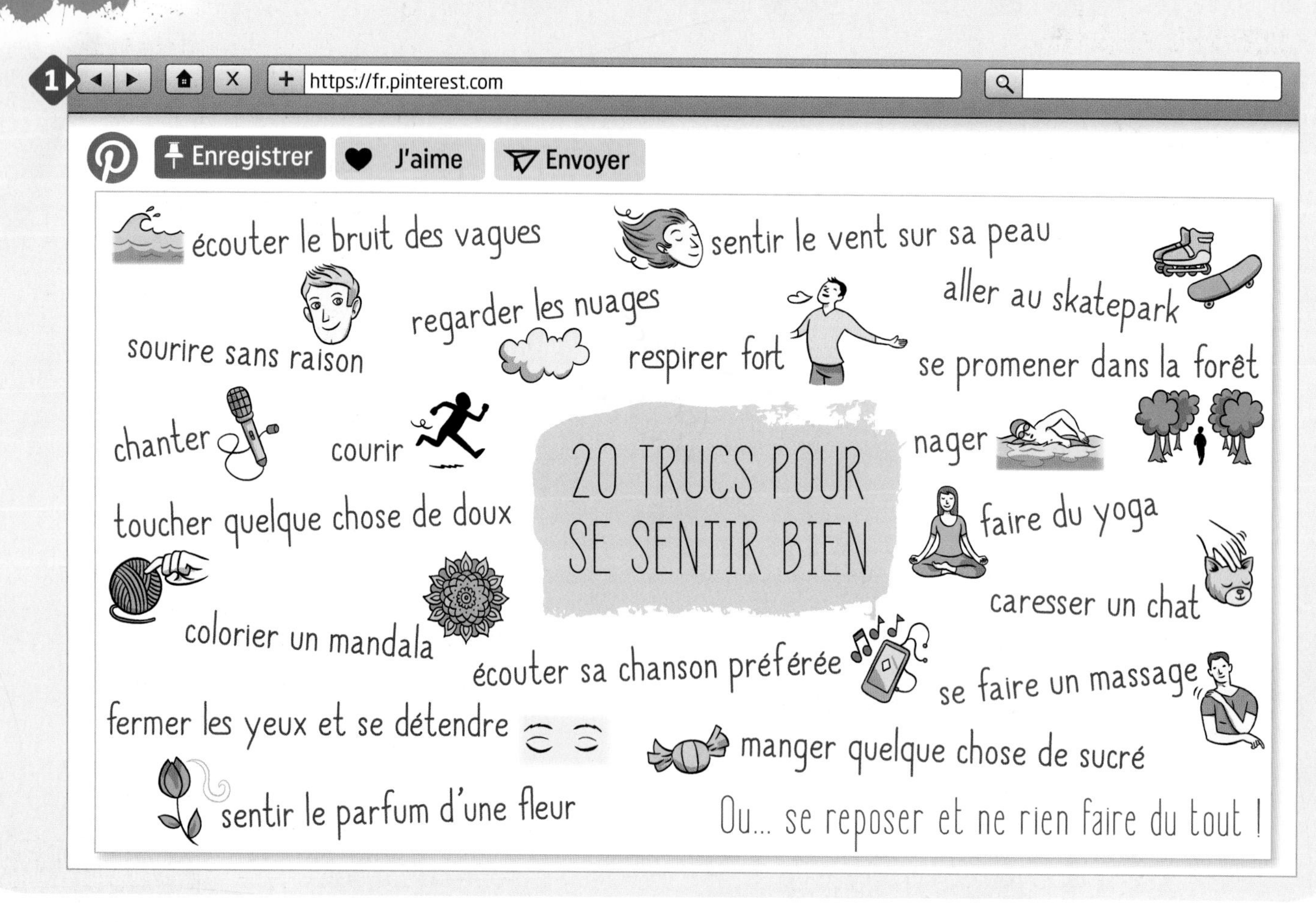

1 **Lis l'affiche ① partagée sur Pinterest. Qu'est-ce qu'elle présente ?**

a. Des idées pour être bien dans son corps et dans sa tête.
b. Des choses qui nous stressent.
c. Des conseils pour occuper notre temps libre.

2 **Relis l'affiche ① et réponds.**

a. À ton avis, pour quelles actions proposées est-ce qu'on utilise les sens suivants ?

1 **le goût** 2 **le toucher** 

3 **la vue** 4 **l'odorat**  5 **l'ouïe** 

b. Quelle(s) partie(s) du corps est-ce qu'on utilise pour chaque sens ?

les yeux | la peau (les mains...) | le nez | la bouche (la langue...) | les oreilles

3 EN PETITS GROUPES. **Choisis sur l'affiche ① l'action que tu préfères faire pour te sentir bien. Compare avec tes camarades.**

4 PAR DEUX. **Que fais-tu d'autre pour te sentir bien ? Dis ton ou tes « truc(s) » à ton/ta camarade. Il/Elle donne pour chaque « truc » le ou les sens correspondant(s).**

– Moi, j'adore admirer des paysages.
– La vue !

5 **Observe l'affiche ② et réponds.**

a. Quel est l'événement annoncé ? Quand est-ce qu'il a lieu ?
b. Lis les neuf phrases à droite de l'affiche. Un compliment, qu'est-ce que c'est ?

- une phrase qu'on dit quand on est en colère
- une phrase gentille qu'on dit à quelqu'un
- une phrase qui ne fait pas plaisir

c. Pourquoi est-ce qu'il est écrit « Servez-vous » sur l'affiche ?

Journée mondiale du compliment

Le 1er mars

COMPLIMENTS 100 % GRATUITS

pour un ami, un professeur, un parent et... pour toi !

Servez-vous !

- Te voir, ça me met de bonne humeur !
- Je me sens bien avec toi.
- Tu es toujours en pleine forme et ça me fait plaisir !
- Avec toi, finie la déprime !
- Ton sourire me fait du bien !
- Quand je t'entends rire, au revoir le stress !
- Tu me remontes toujours le moral : tu es super !
- Avec toi, je me sens moins triste !
- Ne change pas, tu es formidable !

Écoute et réponds.

a. Qu'est-ce que Martin a trouvé dans son sac ? Qui l'y a mis ?

b. Retrouve sur l'affiche ② la phrase que lit Driss.

c. Pourquoi est-ce que cette phrase fait plaisir à Martin ?

- parce qu'il est un peu stressé
- parce qu'il se sent déprimé
- parce qu'il n'a pas trop le moral

Pour demander et dire comment on se sent

Qu'est-ce qui t'arrive ?
Ça ne va pas ?

Je me sens / Je vais bien/mal/mieux.
Je ne me sens pas bien.
Ça me met / Je suis de bonne/mauvaise humeur.
Je suis / Je me sens en (pleine) forme.
Je suis / Je me sens déprimé(e)/stressé(e)/heureux (heureuse)/malheureux (malheureuse).
Ça me déprime. / Ça me stresse.
Ça me fait du bien/du mal/plaisir.
Ça me remonte le moral. Je n'ai pas le moral.

n° 4 p. 98

PAR DEUX. **Et toi, parmi les compliments de l'affiche ②, lequel aimerais-tu trouver dans ton sac ? Quel effet ont les compliments sur toi ? Compare avec ton/ta camarade.**

EN PETITS GROUPES. **Présentez ou imaginez une journée « pour se sentir bien ». La classe dit ce qu'elle pense de chaque journée et vote pour sa journée préférée.**

Nous, on a choisi la Journée des câlins gratuits. Pendant cette journée, on propose de prendre les gens dans nos bras pour...

Moi, je n'aime pas la Journée des câlins gratuits parce que je n'aime pas quand des personnes que je ne connais pas me touchent !

Moi, j'aime bien la Journée des câlins gratuits parce que, les câlins, ça fait du bien quand on est déprimé !

VOCABULAIRE

Les cinq sens

le goût
la bouche
la langue

l'odorat
le nez
un parfum
sentir

l'ouïe
les oreilles (f.)
écouter
entendre

le toucher
la peau
caresser
sentir
toucher

la vue
un œil (des yeux)
regarder
voir

Le bien-être

un massage
se détendre / la détente
se reposer / le repos
respirer / la respiration

Les petits gestes

faire un câlin = prendre dans ses bras
faire un compliment
sourire / un sourire

n° 1 et 2 p. 98

LEÇON 2

Parlons de nos problèmes et trouvons des solutions

1 **Lis les témoignages postés sur le site ci-dessous et réponds.**

a. De quoi parlent les collégiens sur ce site ?

b. Quelles informations apparaissent dans les témoignages ? Dans quel ordre ?

Ils demandent des conseils. | Ils parlent de leurs petits problèmes. | Ils donnent des conseils. | Ils trouvent des solutions.

www.viedecollegien.fr

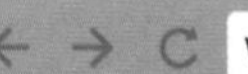

VDC Vie De Collégien

Aujourd'hui, j'ai vu une vieille dame qui voulait traverser la rue et je me suis dépêché d'aller l'aider. Mais je suis tombé et je n'arrivais plus à marcher ! C'est donc la vieille dame qui m'a aidé à rentrer dans le collège, devant tous mes copains morts de rire ! La honte ! Que faire pour les empêcher de se moquer de moi maintenant ?

Thibault – 29/04 à 21:02 36

Aujourd'hui, j'ai décidé de réparer mon vélo. Je voulais montrer à mon père que je pouvais le faire tout seul. J'ai apporté la boîte à outils mais… je n'ai pas réussi à l'ouvrir. Depuis, mon père n'arrête pas de rigoler et ça commence à me fatiguer ! Qu'est-ce que vous me conseillez de faire ?

Milo – 29/04 à 19:46 59

Aujourd'hui, interrogation orale d'anglais. Hier, j'ai oublié d'apprendre quelques mots de vocabulaire et, bien sûr, le prof m'a interrogée seulement sur ces mots-là ! Qu'est-ce que je peux faire ? Lui demander de refaire l'interro ?

Lisa – 29/04 à 17:33 42

102 Pour demander un conseil

Que faire pour les empêcher de se moquer de moi ?

Qu'est-ce que vous me conseillez / tu me conseilles de faire ?

Qu'est-ce que je peux / dois faire ?

2 **Relis et réponds. Justifie avec des phrases tirées des témoignages.**

Qui…

a. énerve Milo ? Pourquoi ?

b. va avoir une mauvaise note à un examen ? Pourquoi ?

c. a dû entrer dans le collège accompagné d'une vieille dame ? Pourquoi ?

3 **Dans tes réponses à l'activité 2, observe les verbes suivis de la préposition *à* ou *de*. Quel type de mot suit les prépositions ?**

- un verbe conjugué
- un infinitif
- un nom

103 Les verbes prépositionnels

Verbes construits avec *à* + infinitif :

aider à, commencer à, réussir à, arriver à, etc.

Je **n'arrivais plus à** marcher.

Verbes construits avec *de* + infinitif :

arrêter de, essayer de, décider de, empêcher de, oublier de, se dépêcher de, conseiller (à quelqu'un) de, demander (à quelqu'un) de, etc.

J'**ai décidé de** réparer mon vélo.

n° 5 et 6 p. 98-99

4 **Choisis une des propositions suivantes et écris un témoignage à la manière de *Vie de collégien*. N'oublie pas de demander conseil ! La classe vote pour le témoignage le plus drôle.**

- Aujourd'hui, j'ai essayé de… mais…
- Aujourd'hui, j'ai décidé de… mais…
- Aujourd'hui, je n'arrivais pas à… et…
- Aujourd'hui, j'ai aidé… à… mais…

5 Lis le test ci-dessous.
a. Que peux-tu découvrir avec ce test ?
b. Fais le test. Puis partage tes résultats avec la classe.

QUAND TES AMIS ONT DES PROBLÈMES : DONNES-TU LES BONS CONSEILS ?

TON AMI(E) : **Je suis nul(le) ! Je ne sers à rien !**

TOI :
- ● Oh, arrête de te plaindre ! Tu n'es pas drôle !
- ■ Pas de panique ! Moi aussi, je déprime parfois !
- ★ Toi, tu devrais te changer les idées ! Pourquoi tu ne sors pas un peu ?

TON AMI(E) : **Mince ! J'ai oublié de faire mes exercices de maths !**

TOI :
- ★ Et si tu les faisais pendant la pause ? Ne t'en fais pas : je vais t'aider !
- ● Je te conseille d'inventer une bonne excuse !
- ■ Tu pourrais acheter un agenda !

TON AMI(E) : **Parfois, je n'ai pas envie de me lever pour aller en cours !**

TOI :
- ■ C'est normal ! Moi aussi, j'ai envie de dormir le matin !
- ★ Essaie de te coucher plus tôt et pense à mettre plusieurs réveils !
- ● Ce n'est pas grave, tout le monde peut arriver en retard quelquefois !

RÉSULTATS

TU AS UN MAXIMUM DE :
- ● Fais attention à tes « conseils » car tu peux faire plus de mal que de bien !
- ■ Tu es l'ami(e) de tes amis, mais tu ne les aides pas beaucoup !
- ★ Bravo pour ces bons conseils !

6 Relis le test et réponds.
a. D'après les résultats du test, quels conseils sont…

bons ? mauvais ? inutiles ?

b. Parmi les expressions suivantes, lesquelles permettent de rassurer quelqu'un ?

Ce n'est pas grave ! Pas de panique ! Arrête de te plaindre ! Ne t'en fais pas ! Tu n'es pas drôle ! C'est normal !

104 Pour donner un conseil et rassurer

Donner un conseil
- ***Conseiller à quelqu'un de*** **+ infinitif**
  Je te conseille d'<u>inventer</u> une bonne excuse.
- ***Pourquoi*** **+ négation + ?**
  Pourquoi tu **ne** sors **pas** un peu **?**
- ***Et si*** **+ imparfait + ?**
  Et si tu les **faisais** pendant la pause **?**
- ***Arrêter de, essayer de, penser à, faire attention à*** **à l'impératif + infinitif**
  Essaie de <u>te coucher</u> plus tôt !
- ***Pouvoir*** **ou** ***devoir*** **au conditionnel présent + infinitif :** *tu pourrais / devrais, on pourrait / devrait, vous pourriez / devriez…*
  Tu devrais <u>te changer</u> les idées !
  Tu pourrais <u>acheter</u> un agenda !

Rassurer

Ne t'en fais pas ! = Ne t'inquiète pas !
Pas de panique ! / Ce n'est pas grave ! / C'est normal !

n° 3 et 7 p. 98-99

PHONÉTIQUE 105

La disparition du *ne* de la négation

⚠ Dans le langage familier, le *ne / n'* de la négation disparaît souvent à l'oral.

Écoute et dis si tu entends *ne*.

n° 8 p. 99

7 Quels autres conseils peux-tu donner pour résoudre les trois problèmes du test ?

Action !

8 EN PETITS GROUPES. De manière anonyme, laissez chacun(e) dans une boîte un petit papier avec une demande de conseil. Imaginez ensemble ce que vous pouvez dire à chaque personne pour la conseiller et la rassurer.

106 VOCABULAIRE

Les problèmes

la honte
une interrogation / une interro
se moquer (de)
se plaindre / une plainte

LEÇON 3

Parlons de nos expériences les plus fortes

Lis la page Internet et réponds.
a. Quel est le thème de la prochaine émission *On se dit tout* ?
b. Que doit-on faire pour témoigner ?

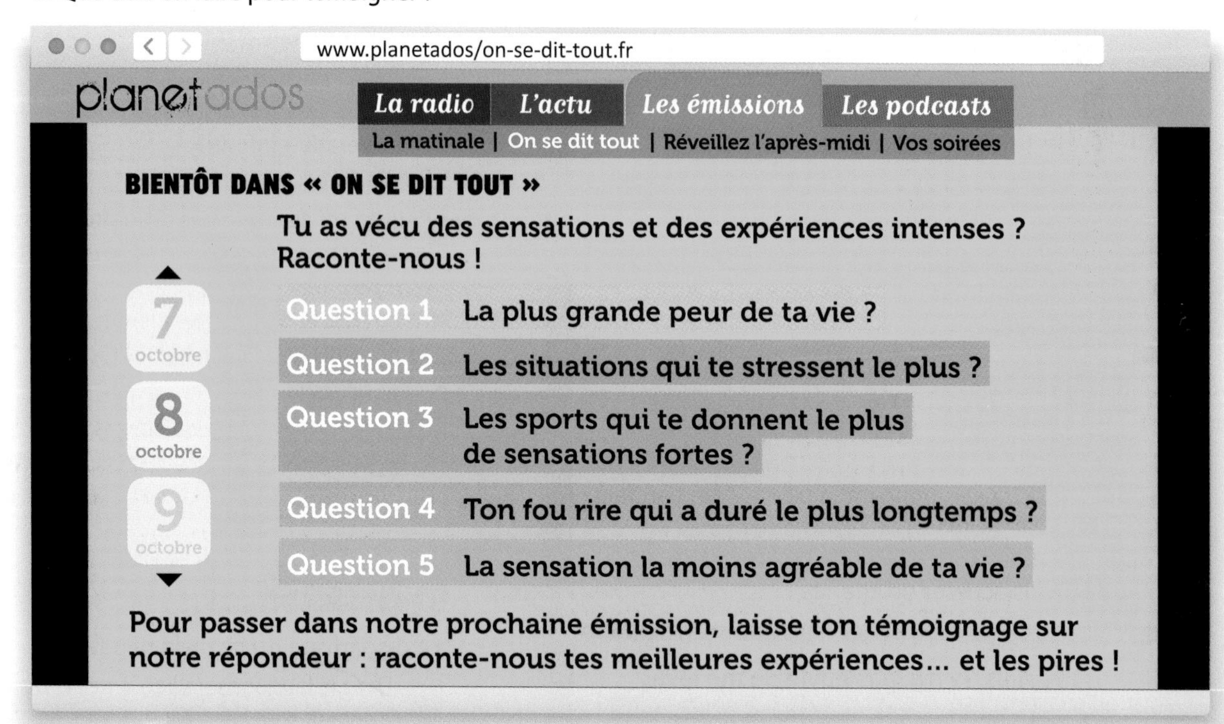

2 **Relis la page Internet. Parmi les cinq questions posées, lesquelles portent sur de bonnes sensations ou expériences ? Et sur des mauvaises ?**

107 Le superlatif

Avec un verbe : verbe + *le plus / le moins*
les situations qui te stressent le plus

Avec un adverbe : *le plus / le moins* + adverbe
le plus longtemps

Avec un nom : *le plus de / le moins de* + nom
le plus de sensations fortes

Avec un adjectif :
- nom + *le/la/les plus / le/la/les moins* + adjectif
  les sensations les plus intenses
- *le/la/les plus / le/la/les moins* + adjectif* + nom
  la plus grande peur

* avec un adjectif qui se place toujours devant le nom

RAPPEL
~~Plus bien~~ > mieux : C'est comme ça que je me sens **le mieux**.
~~Plus bon(ne)(s)~~ > meilleur(e)(s) : **les meilleures** expériences.

Le/la/les plus mauvais(e)(s) = le/la/les pire(s) :
les pires expériences.

n° 9 p. 99

3 PAR DEUX. **Imaginez deux autres questions à poser aux auditeurs de l'émission *On se dit tout*. Sélectionnez les cinq meilleures questions dans la classe.**

Quelle est la plus grande honte de ta vie ?

4 108 **Regarde la page Internet, écoute puis réponds.**
a. Qui parle ?
b. À quelle question est-ce que chacun a répondu ?

5 108 **Réécoute et réponds.**
a. Qu'ont-ils répondu ? Associe chaque dessin à Sacha, Julie, Léonie ou Enzo.

b. Qui prononce chacune des phrases suivantes ? Que remplacent les mots soulignés ?

1. <u>Celle-ci</u>, je ne l'oublierai pas !
2. Ce sont <u>ceux</u> qui me plaisent le plus.
3. Ce sont <u>celles</u> que je ne choisis pas.
4. <u>Celui</u> de l'autre jour, en cours de maths.

109 Les pronoms démonstratifs

- *celui-ci, celui-là / celle-ci, celle-là / ceux-ci, ceux-là / celles-ci, celles-là*
  Celle-ci, je ne l'oublierai pas !
- *celui / celle / ceux / celles + de* + nom
  Celui de <u>l'autre jour</u>...
- *celui / celle / ceux / celles + que / qui / où* + phrase
  Ce sont celles que <u>je ne choisis pas</u>.
  Ce sont ceux qui <u>me plaisent le plus</u>.

n° 10 p. 99

6 EN PETITS GROUPES. **Posez-vous des questions avec les mots de la liste, comme dans l'exemple. Comparez vos réponses avec la classe.**

activités physiques | chanson | films | parfum | paysage | plats

– Quelles activités physiques préfères-tu ?
– Celles qui me donnent des sensations fortes !
– Moi, celles qui me détendent !

Action!

7 EN PETITS GROUPES. **Répondez aux questions de l'émission *On se dit tout* et aux questions que vous avez imaginées pour l'activité 3. Mettez en commun avec la classe. Puis faites un classement des expériences les plus intenses de la classe.**

– La plus grande honte de ma vie, c'est celle...

110 VOCABULAIRE

Les sensations fortes

un fou rire
un sport extrême
le saut en parachute

Enquête

Qu'est-ce qui stresse les collégiens français ?

Aimes-tu aller à l'école / au collège ?

- 26 % J'aime beaucoup.
- 8 % Je n'aime pas du tout.
- 45 % J'aime un peu.
- 22 % Je n'aime pas trop.

Enquête « Baromètre Trajectoires » / AFEV (Association de la fondation étudiante pour la ville).

Selon cette enquête sur l'école, la moitié des élèves français n'aiment pas beaucoup aller à l'école ou au collège… Mais d'où vient ce mal-être ?

Trop d'heures de cours

Entre l'âge de 7 et 14 ans, un élève français assiste à 7 500 heures de cours ! Ça fait beaucoup si on compare avec d'autres pays comme la Finlande (5 700 heures) ou la Pologne (4 700 heures).

Trop de devoirs

C'est la plainte qu'on entend le plus souvent chez les collégiens. Après une longue journée en classe, le travail à la maison leur laisse peu de temps libre pour la détente et les loisirs.

La peur du redoublement

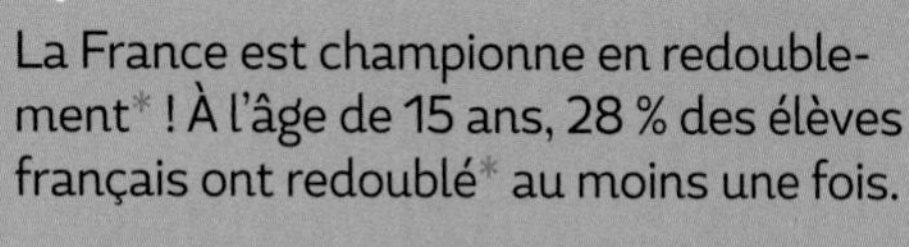

La France est championne en redoublement* ! À l'âge de 15 ans, 28 % des élèves français ont redoublé* au moins une fois.

* redoubler (une classe) = faire deux fois la même classe

L'obsession des notes

Pour pouvoir passer dans la classe supérieure, il faut avoir de bonnes notes ; l'évaluation est donc ce qui stresse le plus les collégiens.

11/20
Insuffisant. Il faut travailler plus.
Interrogation d'histoire

CONTRE LE STRESS : DES COLLÈGES INNOVENT

La classe sans notes

Les collèges de la région de Poitiers ont décidé de supprimer les notes et d'évaluer les élèves par compétences*. Résultat : à la question « Aimes-tu aller au collège ? », 86 % des élèves ont répondu « Oui » ; et à la question « Es-tu stressé(e) par l'évaluation ? », 63 % ont répondu « Non ».

* une compétence = quelque chose qu'on est capable de faire

Du yoga au collège

Depuis 2010, le collège Gabriel-Péri de Gardanne, dans le Sud de la France, propose des cours de yoga à tous ses élèves pour les aider à être moins stressés et à mieux se concentrer.

EN PETITS GROUPES

1 **Aimez-vous aller au collège ? Pas du tout, pas trop, un peu, beaucoup ? Mettez en commun avec la classe.**

2 **Lis l'introduction et les gros titres de l'enquête et réponds.**

a. Quel est le thème de l'enquête ?
b. Quelles sont les causes de ce problème ?

3 **Lis l'enquête en entier et réponds.**

a. Sur cent élèves, combien aiment beaucoup aller à l'école ou au collège ?
b. Les élèves français ont combien d'heures de cours en plus que les élèves polonais ?
c. Pourquoi est-il important d'avoir de bonnes notes ?
d. Qu'est-ce que les élèves ne peuvent pas faire à cause des devoirs ?
e. Que proposent certains collèges pour réduire le stress ?

ÉDUCATION PHYSIQUE ET SPORTIVE

4 a. **Retrouve dans l'article page 96 le nom d'une discipline sportive.**
b. **Observe une posture de cette discipline. Quelles sont les deux étapes de la respiration ?**

La posture de la tortue

1
Assis(e), les jambes pliées. Détends-toi et inspire par le nez.

2
Penche-toi en avant et pose ton front au sol. Reste dans cette position pendant 30 secondes et expire (toujours par le nez).

3
Inspire et relève-toi petit à petit.

EN PETITS GROUPES

5 **Imaginez votre collège idéal et sans stress. Puis racontez à la classe.**

Un collège où on vient quand on veut !

Un collège sans notes et sans évaluations.

ENSEMBLE POUR...

organiser au collège une journée contre le stress

1 AVEC LA CLASSE **Discutez entre vous et faites une liste d'activités antistress à faire au collège. La classe vote pour les meilleures.**

Et si on proposait un atelier de yoga ?

Et pourquoi on ne fait pas un stand de fabrication de parfums antistress ?

Moi, je pourrais montrer comment on fait des boules de massage pour les pieds !

2 EN PETITS GROUPES **Choisissez votre activité préférée et faites ensemble la liste du matériel à apporter.**

Pour les boules de massage : des balles de tennis, de vieilles chaussettes...

3 **Donnez un nom à votre stand et créez une affiche pour le présenter. Expliquez pourquoi votre activité aide à se sentir bien et donnez des conseils aux utilisateurs.**

Pieds zen

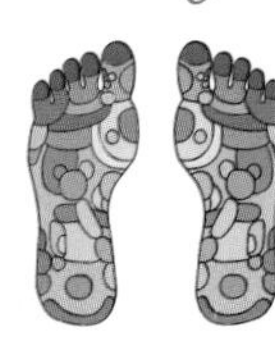

Tu es stressé(e) ?
Tu as des problèmes pour t'endormir ?
Fais-toi un massage des pieds !
Cela redonnera de l'énergie à tout ton corps et te détendra !

POUR ALLER PLUS LOIN
Réalisez cette journée dans votre collège avec l'aide des autres classes.

Entraînement

Entraînons-nous

Les cinq sens

1 EN PETITS GROUPES. **Dis une chose associée à un sens. Les autres devinent de quel sens il s'agit.**

Le chant des oiseaux.

L'ouïe !

Un cupcake au chocolat !

Le bien-être et les petits gestes

2 EN PETITS GROUPES. **Chacun(e) à votre tour, mimez une action de la liste. Le premier / La première qui trouve de quoi il s'agit marque un point.**

caresser quelque chose

se faire un massage — se reposer

faire du yoga — respirer

prendre dans ses bras — sentir un parfum

sourire — écouter de la musique

Donner un conseil et rassurer

3 PAR DEUX. **Conseille et/ou rassure chacune des personnes suivantes. Ton/Ta camarade devine à qui tu t'adresses, comme dans l'exemple.**

▶ C'est normal, c'est la fin de l'année ! Pourquoi tu ne te reposes pas un peu ?

Mathéo : Mes parents ne me laissent pas voir mes copains pendant la semaine.

Emma : L'année prochaine, je dois changer de collège. Et je ne connaîtrai personne !

Baptiste : Si je n'ai pas de bonnes notes ce mois-ci, je vais redoubler !

Jules : En ce moment, je n'ai pas d'énergie et je me sens très fatigué !

Arthur : Mes parents m'ont inscrit à un club de sport, mais je déteste le sport !

Margaux : En général, je suis toujours joyeuse, mais depuis deux mois, je me sens très triste. Et je ne sais pas pourquoi !

Lorie : Hier, je n'ai pas pu aller à l'anniversaire d'Anna et maintenant elle ne me parle plus !

Entraîne-toi

Dire comment on se sent

4 **Observe les dessins et imagine ce qu'ils disent. Aide-toi des expressions de la page 91.**

a

b

Les verbes prépositionnels

5 **Complète avec la préposition *à* ou *de*.**

a. Arrête … répéter toujours la même chose !
b. Tu m'aides … trouver une solution ?
c. Il a réussi … terminer l'exercice tout seul.
d. Essaie … te calmer !
e. Tu m'empêches … travailler !
f. Ça commence … m'énerver !
g. J'ai oublié … préparer l'exposé !

6 **Complète les bulles avec un des verbes proposés et la préposition qui convient.**

arrêter | ne pas arriver | conseiller | décider | essayer

a

Si vous vous êtes disputés, je te ... t'excuser.

b

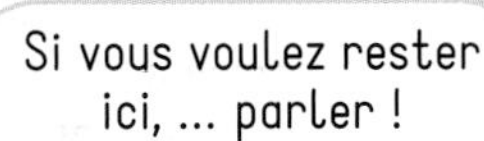

c

Oh ! Je ... faire cet exercice !

Donner un conseil et rassurer

7 **Complète avec des conseils et des expressions pour rassurer. Conjugue les verbes si nécessaire.**

a. – Je suis nul en maths !
 – Pas de ... ! Et si tu ... (prendre) des cours particuliers ?

b. – Je me suis disputé avec Martin et il ne veut plus me parler !
 – Ne t'en ... pas ! Ça va passer ! ... tu ne lui téléphones pas maintenant ?

c. – Je suis désolée, j'ai oublié mes exercices à la maison !
 – Ce n'est pas ... . Mais ... (faire attention) à ne pas les oublier demain !

d. – Depuis la mort de mon chat, je me sens déprimée !
 – Ne t'... pas ! C'est ... ! Tu ... (pouvoir) en prendre un autre, non ?

e. – Ça me stresse, toutes ces interros !
 – Ah bon ? Mais tu as toujours de bonnes notes ! Tu ... (devoir) te détendre !

f. – Qu'est-ce que je peux faire pour être en forme ? Je suis tout le temps fatigué !
 – Je ... aller voir un médecin.

PHONÉTIQUE. La disparition du *ne* de la négation

8 (111) **Prononce ces phrases de manière familière. Puis écoute pour vérifier.**

a. Pourquoi tu ne dors pas un peu ?
b. Ne t'inquiète pas !
c. Essaie de ne pas arriver en retard !
d. Ne fais pas ça !

Le superlatif

9 **Complète les phrases avec un superlatif, selon l'indication donnée (+ ou –). Utilise tous les mots de la liste.**

bons | drôle | amusantes | ~~excuse~~ | grosse | souvent | regardent

> *La pire excuse qu'on m'a donnée, c'est : « Je n'ai pas pu venir à ton anniversaire parce que mon chat était malade ! »*

a. L'activité « zen » que je pratique (+) ..., c'est le yoga ! J'en fais quatre fois par semaine !
b. Les comédies, c'est le genre de films que les ados (+) ... .
c. Les vacances de l'an dernier ont été (–) ... de ma vie ! Super ennuyeuses !
d. (+) ... colère de mes parents ? Quand j'ai cassé la télé avec un ballon !
e. Le jour (–) ... de ma vie : quand on est partis habiter dans une autre ville.
f. Pour moi, (+) ... films, ce sont les films qui me font rire !

Les pronoms démonstratifs

10 **Réponds aux questions sans répéter les mots soulignés. Utilise un pronom démonstratif.**

Tu aimes les histoires qui font peur ou qui font rire ?
> *Celles qui font rire.*

a. En général, tu écoutes les conseils de tes parents ou de tes amis ?
b. Quand tu es stressé(e), tu préfères écouter le bruit des vagues ou de la pluie ?
c. Tu préfères les activités physiques qui donnent de l'énergie ou qui détendent ?
d. Quand tu es triste, tu préfères la compagnie d'un(e) ami(e) ou d'une personne de ta famille ?
e. Tu préfères les gens qui parlent beaucoup ou qui ne parlent pas beaucoup ?

Évaluation

1 Lis le texte et réponds. ... /5

Le rire est excellent pour la santé !

Le sais-tu ? Une séance de rire de 15 minutes apporte autant de bien-être qu'une séance de jogging de 40 minutes. Et une minute de rire égale 30 minutes de relaxation !
Depuis quelques années, la rigolothérapie se développe en France avec ses « clubs du rire » ou ses cours de « yoga du rire ». C'est un médecin indien, le docteur Madan Kataria, qui a inventé le « yoga du rire » pour diminuer le stress et soigner certaines maladies d'une manière différente.
Pendant une séance de yoga du rire, on fait des exercices de respiration et des exercices amusants qui provoquent le rire. Celui-ci se communique vite d'un participant à l'autre et, après quelques minutes, c'est le fou rire collectif !
D'après Madan Kataria, aujourd'hui les gens sont trop sérieux et oublient de rire ! Les enfants rient 300 à 400 fois par jour mais les adultes, eux, environ 15 fois seulement.
Et nous sommes tous capables de rire : nous n'avons pas besoin d'avoir le sens de l'humour, d'être heureux ou d'avoir une raison pour rigoler ! Alors, pour être en bonne santé, ris ! Le plus souvent possible !

a. Le rire est-il aussi bon pour la santé que le sport ? Pourquoi ?
b. Quelle est la technique inventée par le docteur Kataria ? Que permet-elle ?
c. Que fait-on pendant une de ces séances ?
d. Selon le docteur Kataria, quel est le problème des adultes ?
e. Rire est-il difficile ? Pourquoi ?

2 (112) Écoute le reportage. Vrai ou faux ? Justifie tes réponses. ... /5

a. Le Festival du bien vivre est un festival sur le sport.
b. D'après Céline, « bien vivre » est une chose très importante.
c. Cet événement n'intéresse pas son fils.
d. Son fils est allé à un atelier où il a fait des exercices pour faire rire les autres.
e. Il conseille à tout le monde de faire cet atelier.

3 PAR DEUX. Que fais-tu quand tu es déprimé(e) ? Qu'est-ce qui te détend le plus ? Faites chacun(e) une liste de cinq réponses et comparez vos réponses. ... /5

> Moi, quand je suis déprimé(e), ...

> Moi, ce qui me détend, c'est...

4 Tu participes à un forum où des ados parlent de leurs problèmes. Réponds à Victor. (60 mots) ... /5

<Posté par Victor – 18:45>

Je ne sais pas ce qui m'arrive mais je me sens un peu mal ces jours-ci : je me dispute souvent avec mes parents, mes copains ; je n'ai pas envie de sortir, je me sens triste... Bref, je n'ai pas trop le moral. Qu'est-ce que vous me conseillez de faire ?

... /20

Prêts pour l'étape 8 ?

ÉTAPE 8

Respect !

1. Pour toi, respecter les autres, qu'est-ce que ça veut dire ?
2. EN PETITS GROUPES. Faites une liste de lieux où il y a des règles à respecter.
3. As-tu déjà participé à des actions citoyennes ? Lesquelles ?

Apprenons à…
- parler des bons et des mauvais comportements
- parler des règles à respecter
- exprimer notre engagement

+ VIDÉO SÉQUENCE 8

Et ensemble…
réalisons un guide du « mieux vivre ensemble » au collège

LEÇON 1

Parlons des bons et des mauvais comportements

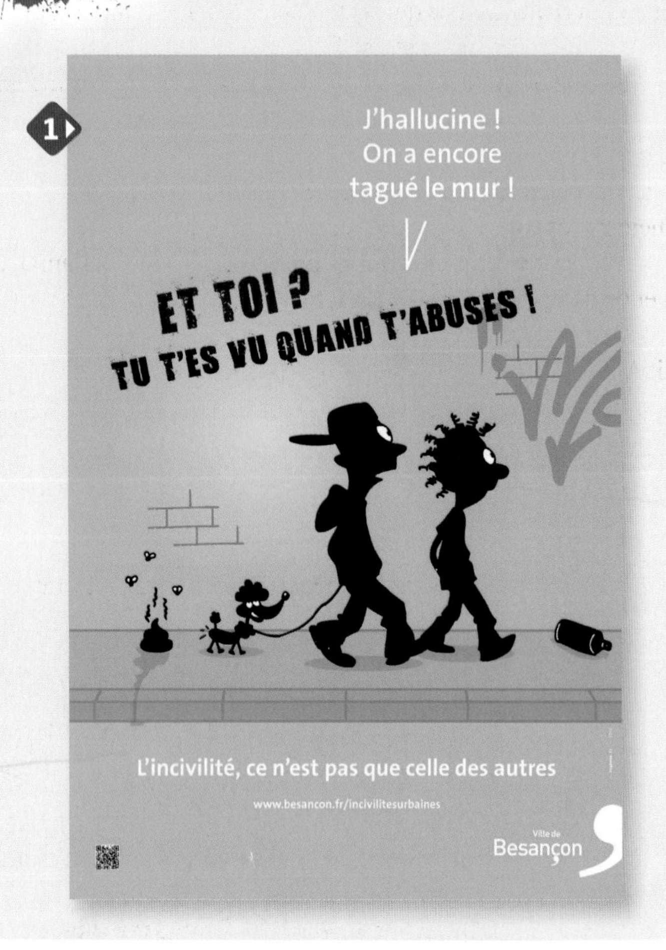

1

Lis les affiches ① et ② et réponds.

a. Dans quelles villes peut-on voir ces affiches ? Situe ces villes sur une carte de France.

b. Une incivilité, qu'est-ce que c'est ?

- un comportement qui respecte les autres
- un comportement qu'il faut avoir en ville
- un comportement qui ne respecte pas les autres

c. Quels exemples d'incivilités peut-on voir sur les affiches ? Choisis dans la liste.

- les crottes de chiens
- les vélos cassés
- les tags
- les déchets par terre
- le bruit
- les sièges de bus abîmés

2

Relis les slogans en bas des affiches ① et ②. Retrouve pour chacun la phrase correspondante.

a. Ce n'est pas difficile de respecter les autres !

b. Toi aussi, tu dois respecter les autres !

3 (113)

Écoute la conversation et réponds.

a. De quelle affiche parlent-ils ?

b. À quelle question a répondu la mère ?

c. Quelle incivilité de l'affiche :

1. est énervante pour la mère ?
2. gêne la mère mais ne dérange pas Théo ? Pourquoi ?

4

Réécoute la conversation et associe.

- Je supporte pas !
- Ils abusent !
- J'hallucine !
- J'en ai marre !
- Y en a ras-le-bol !

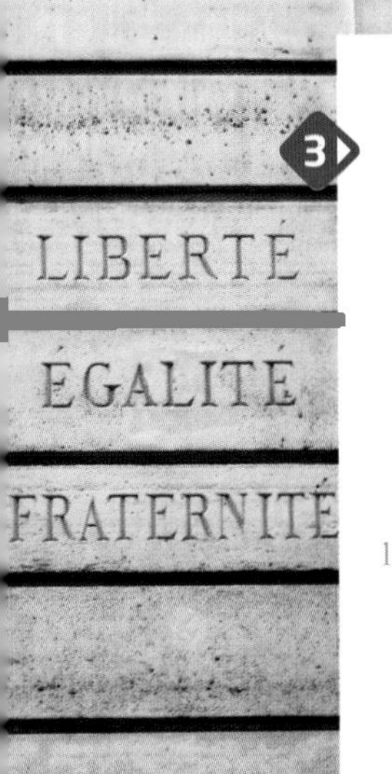

3

Antoine lisait souvent la devise gravée sur le fronton[1] de l'école […] : LIBERTÉ, ÉGALITÉ, FRATERNITÉ. Antoine connaissait ces mots, et leur définition. Mais il ne comprenait pas pourquoi ils étaient écrits ici. Cela ne ressemblait pas à ce qui se passait à l'école (ni ailleurs).
Liberté ? Il n'était pas libre : il avait l'obligation d'aller en classe […].
Égalité ? Ce n'était pas vrai : il y avait des élèves riches […] et d'autres pauvres […], des malades et des en bonne santé […].
Fraternité ? […] il y avait des clans[2], des disputes, des bagarres.
[…] L'école restait un lieu où l'injustice, l'inégalité et la méchanceté régnaient[3]. […]
Ainsi, il se fit[4] un devoir de faire coïncider[5] ces trois beaux mots et son comportement. […]
À l'école, il veilla[6] à être équitable […]. Il allait vers les élèves solitaires pour devenir leur ami […].
Il s'efforçait[7] de dire ce qu'il pensait et de défendre la liberté des autres […]. Il se voyait comme un agent secret au service de cette belle devise.
Le monde ne change pas. Mais, se dit Antoine, un nouveau monde […] commence avec moi.

Extraits de « L'Agent secret », Martin Page, in *12 histoires de liberté, égalité, fraternité*, éditions Escabelle, 2011.

1. au-dessus de la porte – 2. des groupes – 3. dominaient – 4. s'est fait – 5. correspondre – 6. a fait attention – 7. essayait

114 Pour exprimer son mécontentement

Ça m'énerve.
Ça me dérange. = Ça me gêne.
C'est énervant. / C'est pénible.
Tu exagères ! / Tu abuses* !
J'en ai assez ! = J'en ai marre* ! / Il y en a marre* !
= J'en ai ras-le bol* ! / Il y en a ras-le-bol* !
J'hallucine* !
Je ne supporte pas.

* familier

▶ n° 1 et 4 p. 110

PHONÉTIQUE 115

L'élision en français familier

Écoute les deux manières de dire les phrases.

a. Quelles différences entends-tu ?
b. Quelle manière de dire est familière ?

▶ n° 5 p. 110

5 AVEC LA CLASSE. **Et toi, quelles incivilités te dérangent le plus ? Partage avec la classe puis faites un top 5 des incivilités les plus énervantes.**

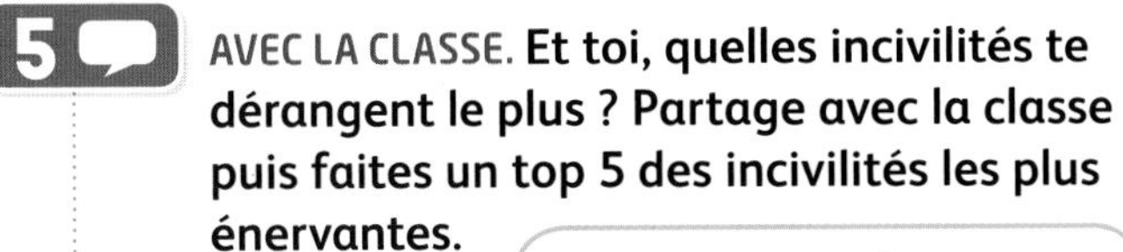

6 **Lis le document 3 et réponds.**

a. C'est l'extrait : d'un témoignage ? d'un recueil d'histoires courtes ? d'un roman ?
b. Qui est Antoine ?
c. Qu'est-ce qu'il ne comprend pas ? Pourquoi ?
d. Qu'est-ce qu'il décide de faire ? Retrouve trois actions.

7 **Quel est le message à retenir dans cette histoire ? Choisis.**

- Si on espère très fort que les autres changent, ils changent !
- Vivre dans un monde libre, équitable et fraternel, c'est impossible !
- Tu dois d'abord changer ton comportement si tu veux changer le monde !

8 EN PETITS GROUPES. **Imaginez une devise à mettre sur le fronton de votre collège.**

Notre devise, c'est : « Respect et amitié entre tous ! »

116 VOCABULAIRE

Les incivilités

une bagarre / se bagarrer
une crotte de chien
la méchanceté / méchant(e)
≠ la gentillesse / gentil(le)
abuser
bousculer
empêcher (de)
exagérer
faire du bruit
s'asseoir ≠ laisser la place
taguer / un tag

Les espaces publics

un bâtiment
un siège
un transport en commun
sale ≠ propre

La citoyenneté

un comportement / se comporter
une devise
l'égalité ≠ l'inégalité
égal, égaux
≠ inégal, inégaux
équitable
la fraternité / fraternel(le)
la justice ≠ l'injustice
juste ≠ injuste
la liberté / libre
le respect / respecter
respectueux, respectueuse
riche ≠ pauvre

▶ n° 6 p. 110

LEÇON 2

Parlons des règles à respecter

1 **Lis les SMS et réponds.**
a. Qui écrit ? À qui ? b. Quel est le problème ?

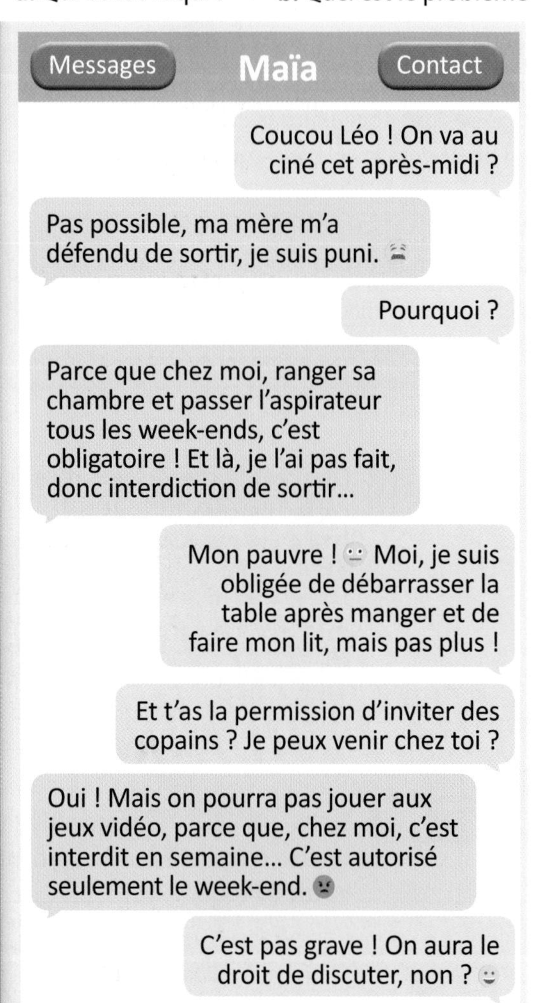

2 **Relis les SMS et associe. Justifie.**

le week-end / la semaine / aujourd'hui

Léo / Maïa

doit / ne doit pas / peut

a

b

c

d

e

f

117 Pour exprimer l'interdiction, l'autorisation, l'obligation

Pour exprimer l'interdiction

C'est/Il est interdit / défendu
Interdire / Défendre à quelqu'un
Interdiction / Défense
Il n'est pas permis
Je n'ai pas le droit/la permission
} de + *infinitif.*

Ce n'est pas autorisé. / Ce n'est pas permis.

RAPPEL
On ne doit pas / Il ne faut pas + *infinitif.*

Pour exprimer l'autorisation

Il est permis de
On a le droit/la permission de
On peut
} + *infinitif.*

C'est autorisé. / C'est permis.

Pour exprimer l'obligation

C'est obligatoire / Il est obligatoire
Je suis obligé(e)
} de + *infinitif.*

RAPPEL
On doit / Il faut + *infinitif.*

Sur les affiches et panneaux, on utilise souvent l'infinitif pour exprimer une obligation ou une interdiction : *Ne pas se bagarrer. Laisser sa place dans le bus.*

n° 2 et 7 p. 110-111

3 EN PETITS GROUPES. **Qu'est-ce que tu as ou n'as pas le droit de faire chez toi ? Qu'est-ce qui est obligatoire ? Fais une liste et trouve les points communs avec tes camarades.**

Moi, je n'ai pas le droit d'utiliser mon portable à partir de 21 heures le soir.

Moi non plus ! Et interdiction de le prendre dans ma chambre !

4 Lis l'affiche. De quoi s'agit-il ?

LES RÈGLES DE VIE
À LA MAISON
DIRE BONJOUR OU AU REVOIR
PARLER GENTIMENT ET POLIMENT
NE PAS SE PLAINDRE CONSTAMMENT
FAIRE CE QU'ON AIME
MANGER CORRECTEMENT
RIRE BEAUCOUP ET SOUVENT
S'AIMER LES UNS LES AUTRES
JOUER AUX JEUX VIDÉO
SEULEMENT LE WEEK-END
NE PAS UTILISER LES PORTABLES APRÈS 21 H
SE LEVER ET SE PRÉPARER RAPIDEMENT LE MATIN
ÊTRE HEUREUX CHAQUE JOUR
RANGER, NETTOYER ET AIDER
REPASSER SON LINGE
AGIR RESPECTUEUSEMENT
NE PAS SE BAGARRER

5 Relis l'affiche. Quelles obligations ou interdictions n'existent pas chez toi ?

6 Relis. D'après l'affiche, quelles actions doit-on faire de manière rapide ? polie ? gentille ? respectueuse ? correcte ?

118 Les adverbes de manière en *-ment*

Pour la plupart des adjectifs :
adjectif au féminin + *-ment*
correcte > correctement
respectueuse > respectueusement
rapide > rapidement

⚠
- Pour les adjectifs qui se terminent par une voyelle : *poli > poliment.*
- Exception : *gentille > gentiment.*

Pour les adjectifs en *-ant* ou *-ent* :
constant(e) > constamment
intelligent(e) > intelligemment

n° 3 et 8 p. 110-111

7 EN PETITS GROUPES. **De quelle manière peut-on faire les actions suivantes pour plus de respect à la maison ? Comparez vos réponses avec les autres groupes.**

- jouer
- prendre sa douche
- demander la permission
- répondre à ses parents
- se comporter avec ses frères et sœurs

Se comporter gentiment avec ses frères et sœurs !

Action !

8 EN PETITS GROUPES. **Quelles sont les règles de vie dans la classe ? Discutez entre vous. Puis mettez-vous d'accord avec les autres groupes sur les règles à afficher.**

Il est interdit de parler méchamment à ses camarades.

On a le droit de sourire toute la journée !

NE PAS PARLER MÉCHAMMENT À SES CAMARADES.

SOURIRE TOUTE LA JOURNÉE EST AUTORISÉ !

119 VOCABULAIRE

Les tâches ménagères
faire son lit
mettre la table ≠ débarrasser la table
nettoyer
passer l'aspirateur
ranger
repasser le linge

Les règles
être puni(e) / punir

n° 9 p. 111

LEÇON 3

Exprimons notre engagement

Lis l'affiche.

a. Qui est Zoé ? Pourquoi a-t-elle fait une affiche ?

b. Retrouve sur l'affiche :
1. les qualités de Zoé ;
2. ses engagements ;
3. son slogan.

2 **Relis l'affiche. Vrai ou faux ? Justifie.**

a. Zoé veut défendre ses idées, pas celles des autres.

b. Zoé veut s'occuper des problèmes des autres comme de ses propres problèmes.

c. Zoé veut améliorer les relations entre les élèves de sa classe.

Les pronoms possessifs

120

	singulier		pluriel	
	masculin	féminin	masculin	féminin
à moi	le mien	la mienne	les miens	les miennes
à toi	le tien	la tienne	les tiens	les tiennes
à lui / à elle	le sien	la sienne	les siens	les siennes
à nous	le nôtre	la nôtre	les nôtres	
à vous	le vôtre	la vôtre	les vôtres	
à eux / à elles	le leur	la leur	les leurs	

n° 10 et 11 p. 111

3 **Regarde le brouillon du programme de Zoé. Transforme les mots barrés pour éviter les répétitions.**

Cette année ne sera pas mon année, mais ~~notre année~~ !

Devant les profs, je ne défendrai pas mon intérêt, mais ~~votre intérêt~~.

Je créerai un blog de la classe avec les photos des événements de l'année : chacun pourra partager ~~ses photos~~ avec les autres !

Je mettrai en commun les idées de la classe pour de nouveaux projets : mes idées + ~~tes idées~~ = ~~nos idées~~.

> Cette année ne sera pas mon année, mais <u>la nôtre</u> !

Lis le prospectus distribué dans le collège de Zoé (page 107).

a. Donne une définition de l'opération « Ruban vert ».

b. Quelles recommandations correspondent aux dessins suivants ?

Opération Ruban Vert
Bonne ambiance au collège

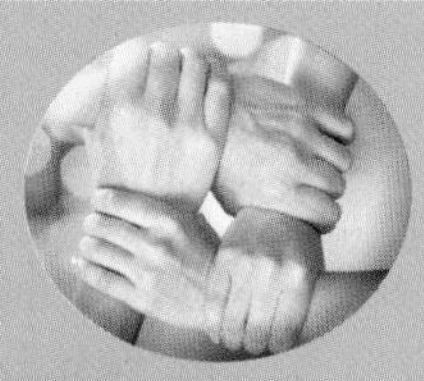

Ensemble, nous disons OUI au respect et NON à la violence !

Le ruban vert, c'est un ruban qui dit : « Je te respecte et tu me respectes ».

Si tu acceptes de le porter, alors tu acceptes de suivre les recommandations suivantes :

1. **Je dis bonjour, merci, pardon, s'il vous plaît.**
2. **Je n'écris pas d'insultes sur les murs ou sur les réseaux sociaux.**
3. **Je respecte l'opinion et la manière d'être de chacun.**
4. **Je ne me bagarre pas, je ne frappe pas, je ne bouscule pas.**
5. **Je lis ces recommandations plusieurs fois pour ne pas les oublier.**

Écoute Zoé et ses camarades. Que fait Zoé ?

Réécoute. Qu'est-ce qui énerve ou dérange Arthur et Inès ? Trouve les recommandations correspondantes dans le prospectus.

Y a toujours des élèves qui bousculent et qui disent pas pardon !

> *Recommandations 1 et 4.*

Les verbes *dire*, *lire* et *écrire*

je dis	je lis	j'écris
tu dis	tu lis	tu écris
il/elle/on dit	il/elle/on lit	il/elle/on écrit
nous disons	nous lisons	nous écrivons
vous dites	vous lisez	vous écrivez
ils/elles disent	ils/elles lisent	ils/elles écrivent

⚠ *Interdire* se conjugue comme *dire* sauf pour la 2e personne du pluriel : *vous interdisez*.

n° 12 p. 111

7 EN PETITS GROUPES. **C'est la semaine du respect. Que faites-vous pour être particulièrement respectueux ? Utilisez les verbes de la liste, puis partagez avec la classe.**

écrire – dire – lire – s'interdire – s'inscrire

Nous écrivons des messages de respect au tableau.

8 PAR DEUX. **Faites une affiche pour vous présenter comme délégué(e)s de classe. Indiquez vos qualités et vos engagements et trouvez un slogan. Présentez votre affiche à la classe.**

Votez pour nous
et dites « oui »
à la bonne humeur !
Vous rêvez
d'une classe joyeuse
et sympa ?
Ce sera la nôtre !

VOCABULAIRE

Les élections (f.)

un(e) délégué(e)
un programme
être élu(e) ≠ élire
défendre (quelqu'un, quelque chose)
lutter pour ≠ contre
s'engager à / un engagement
voter

Le manque de respect

une insulte / insulter
la violence
choquer
frapper

CULTURES

Vivre ensemble

DANS LE BUS OU LE MÉTRO, STOP À L'INCIVILITÉ !

À Paris, la RATP, le réseau des transports en commun, a créé l'Observatoire des incivilités. Son objectif : savoir ce qui gêne le plus les voyageurs.

85 % des voyageurs sont **extrêmement ou vraiment gênés par les incivilités dans les transports.**

Top 5 des incivilités dans les transports

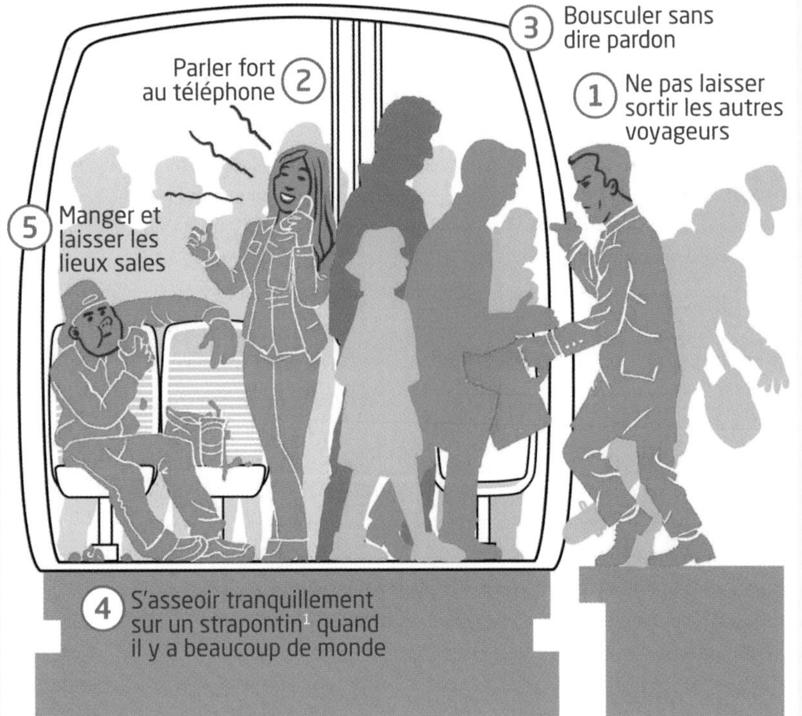

1. siège qu'on peut fermer

Et dans les autres villes, les incivilités, ça existe aussi ! Partout en France, les réseaux de transport font régulièrement de nouvelles campagnes pour lutter contre ces comportements. Un exemple : la campagne « La civilité, un sixième sens à développer » imaginée par des étudiants de Marseille à la demande de la RTM[2].

ISSUE DE SECOURS

QUE VOUS AVEZ DE GRANDES BOUCHES, MESDEMOISELLES ...!

LA CIVILITÉ, UN SIXIÈME SENS À DÉVELOPPER...

rtm.fr changer de mode

2. Régie des Transports Marseillais

56

EN PETITS GROUPES

1 **Prenez-vous les transports en commun ? Si oui, quelles incivilités y voyez-vous souvent ? Mettez en commun avec la classe.**

2 **Lis l'article et réponds.**

a. Qu'est-ce que la RATP ? Et la RTM ?
b. Quelles incivilités gênent le plus les voyageurs de la RATP ?
c. La campagne « La civilité, un sixième sens à développer », qu'est-ce que c'est ?

3 **Relis et associe l'affiche de la RTM à l'une des incivilités du top 5.**

Littérature

4 **Lis le texte ci-contre et réponds.**

a. Connais-tu ce conte ? Cherche comment il s'appelle dans ta langue.
b. Pourquoi peut-on dire que l'affiche de la RTM s'inspire de ce conte ?

LE PETIT CHAPERON ROUGE
CHARLES PERRAULT

Le petit Chaperon rouge […] lui dit : « Ma mère-grand, que vous avez de grands bras !
– C'est pour mieux t'embrasser, ma fille.
– Ma mère-grand, que vous avez de grandes jambes !
– C'est pour mieux courir, mon enfant.
– Ma mère-grand, que vous avez de grandes oreilles !
– C'est pour mieux écouter, mon enfant.
– Ma mère-grand, que vous avez de grands yeux !
– C'est pour mieux voir, mon enfant.
– Ma mère-grand, que vous avez de grandes dents !
– C'est pour mieux te manger. »
Et en disant[1] ces mots, ce méchant loup se jeta[2] sur le petit Chaperon rouge, et la mangea[3].

Charles Perrault, 1697.

1. au moment de dire – 2. s'est jeté – 3. l'a mangée

EN PETITS GROUPES

5 **Imaginez, pour la RTM, un slogan inspiré du conte de Charles Perrault qui illustre une autre incivilité dans les transports en commun.**

ENSEMBLE POUR...

réaliser un guide du « mieux vivre ensemble » au collège

1 EN PETITS GROUPES **Faites une liste des actions qu'on peut faire pour mieux vivre ensemble au collège.**

- Tenir la porte à un(e) élève qui est derrière nous.
- Ne pas dire du mal des autres.
- Respecter les habitudes et les choix qui ne sont pas les nôtres.
- Agir respectueusement avec tout le monde.
- ...

2 **Choisissez les actions de votre liste à mettre dans votre guide et illustrez-les.**

3 **Imaginez un petit objet à distribuer avec votre guide, que les élèves peuvent porter.**

4 **Présentez votre guide à la classe, qui vote pour le meilleur.**

POUR ALLER PLUS LOIN
Traduisez le guide choisi et élisez des délégués responsables de ce projet. Diffusez votre guide dans le collège.

Entraînement

Entraînons-nous

Exprimer son mécontentement

1 PAR DEUX. **Jouez devant la classe : l'un(e) de vous mime une incivilité et l'autre exprime son mécontentement. Les autres groupes devinent l'incivilité représentée.**

Exprimer l'interdiction, l'autorisation, l'obligation

2 PAR DEUX. **Dis une interdiction, une autorisation ou une obligation pour chacun des lieux suivants. Ton/Ta camarade devine de quel lieu il s'agit.**

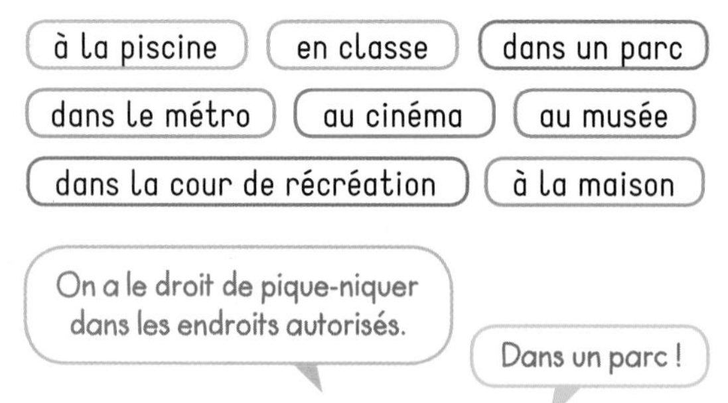

Les adverbes de manière en *-ment*

3 EN PETITS GROUPES. **Écrivez cinq adjectifs sur cinq morceaux de papier et échangez-les avec un autre groupe. Puis, chacun(e) à votre tour, tirez au sort un papier de l'autre groupe. Le premier qui dit correctement l'adverbe correspondant marque un point !**

différent

Différemment !

Entraîne-toi

Exprimer son mécontentement

4 **Reconstitue les expressions suivantes puis utilise-les dans des phrases.**

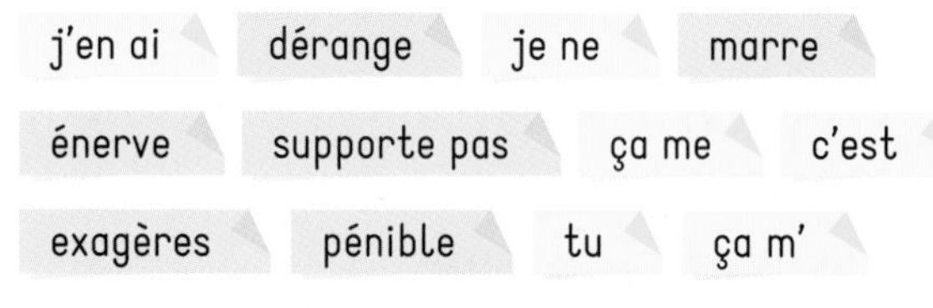

> *J'en ai marre des crottes de chiens !*

PHONÉTIQUE. L'élision en français familier

5 (124) **Prononce ces phrases familièrement, en faisant l'élision. Puis écoute pour vérifier.**

a. Il y a des gens qui exagèrent !
b. Tu as vu ce qu'ils ont fait ?
c. Il y en a marre de tous ces papiers par terre !
d. Tu n'as pas honte de te comporter comme ça ?
e. Tu arrêtes de bousculer ?

La citoyenneté

6 (125) **Écoute ces ados et retrouve de quoi ils parlent.**

les inégalités | la fraternité | la liberté | le comportement | le respect

Exprimer l'interdiction, l'autorisation, l'obligation

7 **Observe les panneaux et dis ce qui est interdit (panneaux rouges), autorisé (panneau vert) ou obligatoire (panneaux bleus). Varie les formules.**

a. manger dans la classe

b. ranger sa chambre

c. parler fort

d. sourire

e. se bagarrer

f. utiliser son téléphone

Les adverbes de manière en *-ment*

8 Transforme les adjectifs en adverbes, comme dans l'exemple.

Chez moi, on participe (régulier) aux tâches ménagères.
> Chez moi, on participe régulièrement aux tâches ménagères.

a. Tu me parles (poli), O.K. ?
b. Nous nous habillons tous (différent).
c. Elle se comporte (méchant) avec sa sœur.
d. Tu manges (sale), c'est dégoûtant !
e. Il ne participe pas très (actif) au ménage.
f. On partage (équitable) les tâches, d'accord ?

Les tâches ménagères

9 Réponds aux questions.

Tu veux participer aux tâches ménagères de la maison ? Alors que fais-tu quand…

a. il y a des affaires partout dans ta chambre ?
b. tu viens de laver un vêtement et que tu veux le porter ?
c. tu as fini de manger ?
d. c'est l'heure du repas ?
e. tu as sali la maison avec tes chaussures ?
f. tu as fait tomber du sel par terre ?
g. tu te lèves le matin ?

> a. *Je la range.*

Les pronoms possessifs

10 Réponds avec un pronom possessif.

a. Cette affiche est à toi ? > Oui, c'est…
b. C'est le rôle du délégué ? > Oui, c'est…
c. Ce sont leurs engagements ? > Oui, ce sont…
d. C'est votre équipe ? > Oui, c'est…
e. Ce sont nos idées, non ? > Oui, ce sont…
f. C'est ma place ! > Non, ce n'est pas…

11 Transforme comme dans l'exemple.

Ton comportement, c'est le plus intelligent.
> Le comportement le plus intelligent, c'est le tien.

a. Tes amis, ce sont les plus sympas !
b. Leurs projets, ce sont les plus citoyens.
c. Votre avis, c'est le plus intéressant.
d. Son affiche, c'est la plus originale !
e. Mon incivilité, c'est la plus grave.
f. Notre classe, c'est la plus solidaire.

Les verbes *dire*, *lire* et *écrire*

12 Regarde les dessins. Que font ces élèves ? Utilise les verbes suivants : *dire, élire, s'inscrire, lire.*

Évaluation

Écoute et réponds. ... /5

a. Qui s'inscrit pour les élections ?

Arthur | Adèle | Noémie

b. Qui est-ce qu'Adèle imagine dans le rôle de délégué(e) ? Pourquoi ?

c. Selon Arthur, quel est le rôle d'un(e) délégué(e) ?

d. Est-ce que Noémie veut devenir déléguée ? Pourquoi ?

e. Selon Adèle, qui peut se présenter aux élections ?

PAR DEUX. **Fais une liste de cinq choses qui t'énervent parce que tu es obligé(e) de les faire ou parce que tu n'as pas le droit de les faire. Compare avec ton/ta camarade.** ... /5

Moi, je suis obligé de me lever très tôt le matin parce que j'habite loin du collège, et je ne supporte pas ça !

Ah bon ? Moi, ça ne me dérange pas de me lever tôt, mais ce qui me dérange, c'est que je n'ai pas le droit d'aller au collège à vélo : ma mère ne veut pas !

Lis les échanges sur le forum. Vrai ou faux ? Justifie tes réponses. ... /5

Nénette : Au collège, on va travailler sur cette question : « Est-ce que les ados font plus d'incivilités que les adultes ? » Moi, j'ai mon avis, mais je voulais avoir le vôtre.

Machin : Moi, je pense qu'il y a plus d'exemples d'incivilités chez les jeunes, parce qu'ils respectent moins les règles. C'est normal, ils ne les connaissent pas ! Les adultes savent être zen, polis... Nous, on doit encore apprendre !

Capuccino : Euh... Je ne suis pas vraiment d'accord avec toi ! Je pense que les adultes aussi font beaucoup d'incivilités. Regardez par exemple : qui laisse son journal sur les sièges du métro ? Qui dit tout le temps des insultes en voiture quand il ou elle est énervé(e) ? Ce ne sont pas les ados...

Totolehéros : Moi, je pense que si les ados ne respectent pas les règles ou les autres, c'est parce qu'ils font comme leurs parents... Si les tiens sont violents, tu es violent, s'ils ne sont pas polis, tu n'es pas poli, s'ils insultent les autres, tu insultes les autres, etc.

Loulou44 : Oui, je suis totalement d'accord ! Mais c'est vrai aussi qu'il y a des ados qui sont respectueux quand ils sont avec leurs parents et qui croient que tout est permis quand leurs parents ne sont pas là ! Ils mettent les pieds, ou pire, ils écrivent sur les sièges des bus, ils parlent très fort... Et ça ne les gêne pas ! Et je suis sûre que chez eux, ils sont polis et respectent les règles !

a. Nénette donne son avis sur le thème des incivilités.

b. Machin pense que les ados se comportent plus mal que les adultes parce qu'ils doivent encore apprendre.

c. Capuccino donne des exemples d'incivilités d'adultes.

d. Selon Totolehéros, ce sont les parents qui montrent les bons ou les mauvais comportements à leurs enfants.

e. Loulou44 parle d'ados qui sont impolis en public et en famille.

Participe au forum de l'activité 3 et donne ton avis sur la question : « Est-ce que les ados font plus d'incivilités que les adultes ? » (40 à 50 mots) ... /5

... /20

Prêts pour le niveau 4 ?

1 Compréhension de l'oral

Lis les questions. Écoute deux fois ces conversations. Puis associe chaque conversation à la situation correspondante.

Conversations	Situations
Conversation a	1. Défendre ses idées.
Conversation b	2. Exprimer son mécontentement.
Conversation c	3. Exprimer une obligation.
Conversation d	4. Parler d'une incivilité.
Conversation e	5. Parler d'une interdiction.

.../10

2 Compréhension des écrits

Lis cet article. Réponds aux questions.

La journée de la gentillesse

En France, le 3 novembre, c'est la journée de la gentillesse. C'est l'organisation internationale du Mouvement mondial pour la gentillesse qui l'a créée en 2000, à Singapour. En France, c'est *Psychologies Magazine* qui a eu l'idée de la célébrer depuis 2009.

Être gentil, c'est rendre service ou aider quelqu'un, sans attendre quelque chose en retour. La gentillesse est bonne pour la santé. Quand nous sommes gentils, nos émotions positives augmentent. D'après des scientifiques suédois, les personnes gentilles vivent plus longtemps car elles sont moins souvent malades. Enfin, la gentillesse peut aussi avoir un effet positif sur les résultats scolaires. Alors, pourquoi ne pas essayer d'être gentil, au moins pendant une journée ?

a. En France, la journée de la gentillesse a lieu quel jour ?

b. Qui a créé cette journée ?
   1. Un mouvement mondial.
   2. Un magazine international.
   3. Une organisation française.

c. Vrai ou faux ? Justifie tes réponses.
   1. En France, la journée mondiale de la gentillesse est née en 2000.
   2. Être gentil, c'est aider une personne et attendre ses remerciements.

d. Pourquoi est-ce qu'être gentil est bon pour notre santé ?

e. D'après des scientifiques suédois, pourquoi est-ce que les personnes gentilles vivent plus longtemps ?

f. Qu'est-ce que l'auteur propose de faire à la fin de son article ?

.../10

3 Production écrite

Exercice 1 (.../5)

Tu as passé une journée horrible la semaine dernière : tu ne te sentais pas bien et tu as rencontré des personnes peu respectueuses. Tu écris un mail à ton/ta meilleur(e) ami(e) français(e) pour lui raconter cette journée. (60 mots minimum)

Exercice 2 (.../5)

Tu lis ce message :

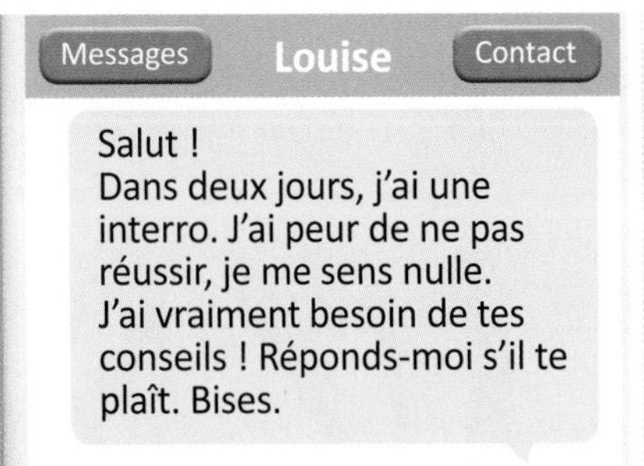

Tu réponds à Louise. Tu lui donnes des conseils pour éliminer son stress. Tu lui racontes un moment où, toi aussi, tu as été stressé(e) et tu lui expliques comment tu as fait pour retrouver ton calme. (60 mots minimum)

4 Production orale

Exercice 1 ▸ pour s'entraîner à la partie 1 de l'épreuve orale : l'entretien dirigé (.../2)

Tu te présentes. Tu parles de toi et de ta famille. Tu expliques quelles règles de vie tu dois suivre chez toi et ce que tu dois ou ne dois pas faire.

Exercice 2 ▸ pour s'entraîner à la partie 2 de l'épreuve orale : le monologue suivi (.../4)

Au choix :

LES MAUVAIS COMPORTEMENTS

Quel comportement te dérange le plus ? Pourquoi ? Donne deux exemples d'incivilités que tu as rencontrées.

LE BIEN-ÊTRE

Qu'est-ce qui te fait te sentir bien dans ta tête et dans ton corps ? Pourquoi ? Raconte une journée idéale qui te rend heureux/heureuse.

Exercice 3 ▸ pour s'entraîner à la partie 3 de l'épreuve orale : l'exercice en interaction (.../4)

Par deux :

Tu penses que ton/ta meilleur(e) ami(e) français(e) ne va pas bien. Il/Elle refuse toutes tes propositions de sorties et reste enfermé(e) chez lui/elle. Tu lui demandes comment il/elle se sent et pourquoi, et tu lui donnes des conseils pour l'aider à se sentir mieux.

.../10

.../40

La francophonie

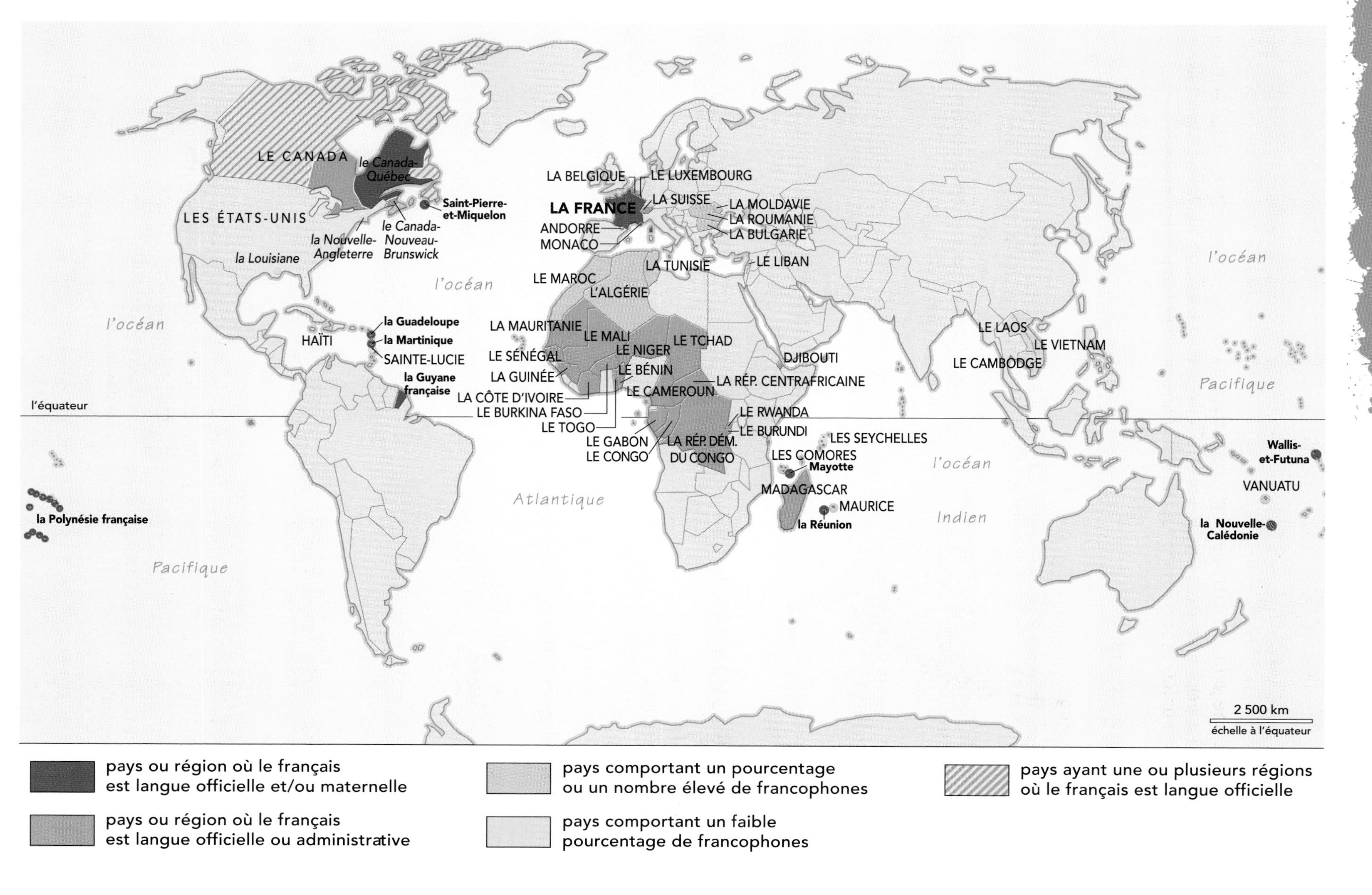

Les actes de parole

Pour décrire un objet

Décrire la fonction

À quoi ça/il/elle sert ? / Ça/Il/Elle sert à quoi ? / Quelle est sa fonction ?
> Ça/Il/Elle **sert à** jouer.
> Ça/Il/Elle **permet d'**écouter des cassettes.

Décrire la matière

C'/Il/Elle est en quelle matière ? / C'/Il/Elle est en quoi ?
> C'/Il/Elle est **en** plastique.

Décrire la forme

Ça/Il/Elle a quelle forme ? / C'/Il/Elle est en forme de quoi ?
> C'/Il/Elle est rectangulaire.
> C'/Il/Elle est en forme de brique.

Décrire la couleur

C'/Il/Elle est de quelle couleur ?
> C'/Il/Elle est de toutes les couleurs.

Pour situer dans le temps

Ça date
- **de l'époque de** mes parents.
- **de** 1982.
- **des années** quatre-vingts.
- **de mon enfance.**

Ça a existé
- **jusqu'en** 1994.
- **jusqu'à l'arrivée de** l'informatique.

Ça a existé / Ça existait
- **à l'époque de** mes parents.
- **en** 1982.
- **dans les années** quatre-vingts.
- **dans mon enfance.**

Pour situer un lieu

C'est où ? / Ça se trouve où ? / C'est situé où ?
> C'est / Ça se trouve / C'est situé…
- **en** France / **en** Europe.
- **dans** une région d'outre-mer / **dans** un pays proche de la France / **dans** l'océan Indien / **dans** l'hémisphère Sud.
- **loin de** la France / **près de** la France / **près du** pôle Nord.
- **sur** l'île de La Réunion. / **sur** le continent américain.
- **au bord de** la mer.
- **ici** ≠ **là-bas** / **ailleurs.**

C'est à quelle distance de ta ville natale ? / C'est à combien de kilomètres de ta ville natale ?
> C'est à des milliers de kilomètres d'ici.

Pour écrire un mail amical

Saluer

Cher Sacha, **Chère** Clara, **Chers** amis, **Chères** cousines
Bonjour / **Salut** / **Coucou** les copains !

Prendre congé

Bises. / Bisous*.
Je t'embrasse. / Je vous embrasse.
Tchao* ! / Ciao* !
À (très) bientôt.
À plus tard ! / À plus* ! / A+* !
À tout à l'heure. / À tout'*.
PS *(post-scriptum)* : pour ajouter une information supplémentaire.
* familier

Pour situer dans l'espace

à l'intérieur (de) / dedans ≠ à l'extérieur (de) / dehors
au milieu (de) = au centre (de) ≠ (tout) autour (de)
(tout) en haut (de) ≠ (tout) en bas (de)
au-dessus (de) ≠ au-dessous (de)
partout

Pour donner son avis

Je pense que c'est une idée très originale !
Je trouve ça un peu bizarre.
Je trouve le film génial.
Je trouve que c'est une super idée.
Pour moi / **Selon moi**, ce n'est pas un vrai film d'horreur.
À mon avis, c'est pas mal.

Pour féliciter

Félicitations !
Bravo !
Génial ! / Super !
C'est bien !
Bien joué !

Pour exprimer une déception ou une critique

C'est dommage !
C'est bête ! / C'est nul !
Je suis déçu(e) !
Quel gâchis ! / Quel gaspillage !
Oh, mince !
Tant pis !

Pour exprimer un espoir

J'espère que les solutions proposées sont de vraies solutions !
J'espère que beaucoup d'ados ont vu/vont voir le film !
Ils espèrent que tout le monde aura envie de changer quelque chose !

Pour exprimer un vœu

Bonne année !
Bon anniversaire !
Bon appétit !
Bonne chance !
Bonne fête !
Bon voyage !
Joyeux Noël !

Pour exprimer des goûts

J'adore (ça). ≠ Je déteste (ça). / J'ai horreur de ça.
J'aime bien. ≠ Je n'aime pas/pas beaucoup = pas trop*.
Je préfère (ça).
Ça m'intéresse. ≠ Ça ne m'intéresse pas/pas beaucoup = pas trop*.
Ça m'attire. ≠ Ça ne m'attire pas/pas beaucoup = pas trop*.
Ça me plaît. ≠ Ça ne me plaît pas/pas beaucoup = pas trop*.
* familier

Pour exprimer la cause et la conséquence

Exprimer la cause

On vient ici **parce qu'**il y a un bowling.
C'est notre *escape game* préféré **car*** il est très difficile.
Je ne peux pas toujours acheter des mangas **à cause des** prix.
Je ne peux pas jouer **à cause d'**elle.
* surtout utilisé à l'écrit

Exprimer la conséquence

On n'a pas tous ces jeux vidéo chez nous, **alors** on vient ici.
Je peux lire sur place, **donc** je viens souvent.
C'est notre *escape game* préféré. **C'est pour ça qu'**on a voté pour lui.

Pour exprimer le but

On utilise Internet **pour** écouter de la musique.
On utilise Internet **pour** les courses.

Pour donner une appréciation sur la nourriture

J'aime ça. ≠ Je n'aime pas ça.
J'adore ça. ≠ Je déteste ça. / J'ai horreur de ça.
C'est délicieux. / C'est un délice. ≠ C'est dégoûtant.
Je trouve ça délicieux. ≠ Je trouve ça dégoûtant.
Ça a l'air bon.
Beurk !* / Berk !*
* familier

Pour passer une commande au restaurant

Le serveur ou la serveuse :
Vous avez choisi ?
Que désirez-vous ? / Vous désirez autre chose ?
C'est tout ?
Je vous apporte ça tout de suite !
Vous voulez boire quelque chose ?
Bon appétit !

Le client ou la cliente :
Je vais prendre une soupe.
Je voudrais une salade.
Je peux/Je pourrais avoir une carafe d'eau ?
En dessert / En entrée / En plat principal…

Pour demander poliment

Je voudrais / **On voudrait** une salade.
Je pourrais / **On pourrait** avoir une carafe d'eau ?
Tu pourrais / **Vous pourriez** me passer le sel ?

Pour demander et donner un conseil

Demander un conseil

Que faire pour les empêcher de se moquer de moi ?
Qu'est-ce que vous me conseillez/tu me conseilles de faire ?
Qu'est-ce que je peux faire ? **Qu'est-ce que je dois** faire ?

Donner un conseil

Je te conseille d'inventer une bonne excuse.
Pourquoi tu **ne** sors **pas** un peu **?**
Et si tu les **faisais** pendant la pause **?**
Essaie de te coucher plus tôt !
Tu devrais te changer les idées !
Tu pourrais acheter un agenda !

Les actes de parole

Pour demander et dire comment on se sent

Demander comment on se sent
Qu'est-ce qui t'arrive ?
Ça ne va pas ?

Dire comment on se sent
Je suis / Je me sens bien/mal/mieux/déprimé(e)/stressé(e)...
Je vais bien/mal/mieux.
Je ne me sens pas bien.
Je ne vais pas bien.
Ça me met de bonne humeur ≠ de mauvaise humeur.
Je suis de bonne humeur ≠ de mauvaise humeur.
Je suis en forme. / Je me sens en pleine forme.
Ça me déprime. / Ça me stresse.
Ça me fait du bien. ≠ Ça me fait du mal.
Ça me fait plaisir.
Ça me remonte le moral.
Je n'ai pas le moral.

Pour exprimer l'interdiction, l'autorisation, l'obligation

Exprimer l'interdiction
C'est/Il est interdit / défendu
Interdire / Défendre à quelqu'un
Interdiction / Défense
Il n'est pas permis
Je n'ai pas le droit/la permission
} de + *infinitif*.
Ce n'est pas autorisé. / Ce n'est pas permis.
On ne doit pas / Il ne faut pas + *infinitif*.

Exprimer l'autorisation
Il est permis de
On a le droit/la permission de
On peut
} + *infinitif*.
C'est autorisé. / C'est permis.

Exprimer l'obligation
C'est obligatoire / Il est obligatoire
Je suis obligé(e)
} de + *infinitif*.
On doit / Il faut + *infinitif*.

⚠ Sur les affiches et les panneaux, on utilise souvent l'infinitif pour exprimer une obligation ou une interdiction : *Ne pas se bagarrer. Laisser sa place dans le bus.*

Pour rassurer

Ne t'en fais pas ! = Ne t'inquiète pas !
Pas de panique !
Ce n'est pas grave !
C'est normal !

Pour exprimer son mécontentement

Ça m'énerve.
Ça me dérange. / Ça me gêne.
C'est énervant. / C'est pénible.
Tu exagères ! / Tu abuses* !
J'en ai assez ! = J'en ai marre* ! = J'en ai ras-le bol* !
Il y en a marre* ! = Il y en a ras-le-bol* !
J'hallucine* !
Je ne supporte pas.
* familier

Précis grammatical

LES ADJECTIFS ET LES PRONOMS

Le pronom *on*

Le verbe qui suit est toujours conjugué à la troisième personne du singulier.

- On = les gens. → On organise chaque année depuis six ans la semaine de la frite.
- On = nous. → On oublie les particularités de nos régions ou de nos villages.
- On = quelqu'un. → On me dit que la semaine de la frite a lieu en novembre.

Les adjectifs et les pronoms indéfinis

- **Les adjectifs indéfinis**
  Ils accompagnent un nom.
  Tout le monde / **Toute** la famille était fan d'Indiana Jones.
  Tous mes copains / **Toutes** les filles écoutaient Madonna.
  Chaque ado choisissait son film préféré.
  Plusieurs ados avaient un magnétoscope. = *plus de deux ados*
  Quelques copains avaient un ordinateur à la maison.
  = *un petit nombre de copains*

  ⚠ Le *s* de *tous* ne se prononce pas.

- **Les pronoms indéfinis**
  On était **tous** / **toutes** fans d'Indiana Jones.
  On savait **tout** sur Sophie Marceau.
  Chacun / **Chacune** choisissait son film préféré.
  Plusieurs d'entre nous avaient un magnétoscope.
  Quelques-uns / **Quelques-unes** avaient un ordinateur à la maison.

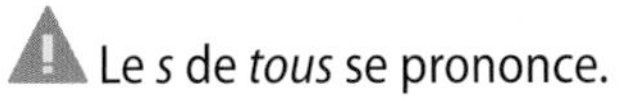
Le *s* de *tous* se prononce.

Les pronoms démonstratifs

Ils remplacent un nom (ou un groupe nominal) et servent à éviter les répétitions.

- Pour désigner : *celui-ci, celui-là / celle-ci, celle-là / ceux-ci, ceux-là / celles-ci, celles-là.*
  C'est la sensation la moins agréable de ma vie ; **celle-ci**, je ne l'oublierai pas !
- Pour définir et donner une précision :
  – *celui / celle / ceux / celles* + *de* + nom ;
  Mon fou rire qui a duré le plus longtemps ? **Celui** de l'autre jour…
  – *celui / celle / ceux / celles* + *que / qui / où* + phrase.
  Les situations qui me stressent le plus ? Ce sont **celles** que je ne choisis pas.
  Les sports extrêmes, ce sont **ceux** qui me plaisent le plus.

Les pronoms possessifs

Ils remplacent un nom accompagné d'un adjectif possessif. Ils permettent d'éviter les répétitions.

		à moi	**à toi**	**à lui / à elle**	**à nous**	**à vous**	**à eux / à elles**
singulier	**masculin**	le mien	le tien	le sien	le nôtre	le vôtre	le leur
	féminin	la mienne	la tienne	la sienne	la nôtre	la vôtre	la leur
pluriel	**masculin**	les miens	les tiens	les siens	les nôtres	les vôtres	les leurs
	féminin	les miennes	les tiennes	les siennes			

Précis grammatical

Les pronoms compléments d'objet direct (COD) et compléments d'objet indirect (COI)

COD avec des verbes comme : *aimer, appeler, écouter, énerver, inviter* ***quelqu'un***	**COI** avec des verbes comme : *dire, écrire, apprendre, envoyer, donner, parler, raconter, répondre* ***à quelqu'un***
Il/Elle me/m' / te/t' / le/la/l' / nous / vous / les énerve.	Il/Elle me/m' / te/t' / lui / nous / vous / leur donne des conseils.

⚠ À la forme négative : Il ne me répond pas.
Avec un infinitif : J'ai besoin de te raconter quelque chose. Je vais te raconter quelque chose.
À l'impératif : Rappelle-moi ! / Ne me rappelle pas ! – Envoie-nous une photo ! / Ne nous envoie pas de photo !
Au passé composé : Il m'a répondu. / Il ne m'a pas répondu.

⚠ Les pronoms COD *le, la, l', les* ne remplacent pas seulement des personnes. Ils peuvent aussi remplacer des choses, des lieux, etc.
J'envoie ma photo. > Je l'envoie. – J'adore cette ville. > Je l'adore.

Le pronom *y* complément de lieu

Il remplace un complément de lieu (où on est / où on va).
Je suis depuis trois jours **au Sénégal**. > J'**y** suis depuis trois jours.
On va aller **dans le désert**. > On va **y** aller.

⚠ Va **à** Dakar ! > Vas-y ! – Ne va pas **là-bas** ! > N'**y** va pas ! – J'**y** vais. = Je pars.

⚠ Au passé composé : J'**y** suis allé.

Le pronom *en* COD

Il remplace un COD précédé :

- **d'un article indéfini**
  Tu pourras trouver des Chefs d'un jour dans plus de trente pays. > Tu pourras en trouver dans plus de trente pays.
  Pourquoi ne pas ouvrir un restaurant ? > Pourquoi ne pas en ouvrir un ?
- **d'un article partitif**
  Tu veux savoir s'il y a des restaurants qui servent du couscous, de la paella, des pâtes près de chez toi ?
  > Tu veux savoir s'il y a des restaurants qui en servent près de chez toi ?
- **d'un nombre**
  On célèbre **quatre** « Restaurant Day » par an. > On **en** célèbre **quatre** par an.
- **d'une expression de quantité.**
  Tu trouveras plusieurs restaurants. > Tu en trouveras plusieurs.

Les pronoms relatifs *qui, que* et *où*

Ils servent à unir deux phrases et à éviter une répétition.

- ***Qui*** remplace un nom (ou un groupe nominal ou un pronom). Il est sujet du verbe qui suit.
  Il y a Maxime. Maxime est le seul garçon de la bande. > Il y a Maxime qui est le seul garçon de la bande.
  Il y a moi qui adore faire des blagues.
- ***Que*** remplace un nom (ou un groupe nominal ou un pronom). Il est COD du verbe qui suit.
  C'est un copain. Je vois beaucoup ce copain. > C'est un copain que je vois beaucoup.
  Il y a moi que tout le monde appelle Gaby.

⚠ *Que* + voyelle > *qu'* : Il y a Oriane **qu'**on appelle aussi « Origami ».

• *Où* remplace un nom indiquant un lieu. Il est **complément de lieu** du verbe qui suit.
Il y a des pays. Les traditions sont importantes **dans ces pays.** > Il y a des pays **où** les traditions sont importantes.

LES PRÉPOSITIONS ET LES ADVERBES

Les marqueurs temporels

• ***Depuis*** + **date, quantité de temps ou événement** : pour indiquer le point de départ dans le passé d'une action qui continue dans le présent.
Internet existe **depuis 1994**.
Internet existe **depuis plus de vingt ans**.
Tout est différent **depuis l'arrivée des téléphones portables.**

• ***Il y a*** + **quantité de temps** : pour situer un événement dans le passé. *Il y a* s'utilise avec un temps du passé.
Il y a trente ans, ça existait seulement dans les films.
Il y a plusieurs décennies, on ne pouvait pas s'appeler dans la rue.

• ***Pendant*** + **quantité de temps ou événement** : pour indiquer une période de temps marquée par un début et une fin.
Pendant des années, on pouvait voir nos séries préférées seulement à la télé.
Pendant dix jours, 38 000 spectateurs ont découvert 50 séries du monde entier !
Pendant le festival, on a pu voir de super séries !

Les prépositions pour indiquer la provenance

• ***De*** + nom de **ville**, d'**île**, de **pays féminin** qui commence par une consonne. → Je viens **de Paris** / **de Corse** / **de Grèce**.
• ***D'*** + nom de **ville**, d'**île**, de **pays** qui commence par une voyelle. → Je viens **d'Athènes** / **d'Ibiza** / **d'Espagne**.
• ***Du*** + nom de **pays masculin** qui commence par une consonne. → Je viens **du Japon**.
• ***Des*** + nom de **pays pluriel**. → Je viens **des États-Unis**.

⚠ **D'**ici, **d'**ailleurs, **de l'**étranger, **du** monde entier.

Les adverbes d'intensité

Ils sont invariables et apportent une précision sur un verbe, un adjectif ou un autre adverbe.

\+
• ***Très (trop*)*** + adjectif ou adverbe
C'est un univers **très** noir. / Tu es **trop*** impatient de lire les autres !
• Verbe + ***beaucoup***
Cette série me plaît **beaucoup**. – Cette série va **beaucoup** te plaire !
• ***Plutôt***
Les événements sont **plutôt** étranges.
• ***Assez***
Le personnage principal, Arnie, est **assez** inquiétant.
• ***Peu / Un peu***
Le scénario est **peu** commun. / Ces treize tomes sont **un peu** courts.
• ***Pas du tout***
Tu ne t'ennuieras **pas du tout** !
–

* familier

⚠ On ne peut pas utiliser *très* et *(un) peu* devant des adjectifs qui ont une valeur de superlatif : *excellent, horrible, magnifique*, etc.

On ne dit pas : ~~*très beaucoup*~~.

Les adverbes de manière en *-ment*

• **Pour la plupart des adjectifs : adjectif au féminin** + *-ment*.
correcte > **correctement** – respectueuse > **respectueusement** – rapide > **rapidement**

⚠ Pour les adjectifs masculins qui se terminent par une voyelle : *poli* > *poliment*.

⚠ *Gentil* > *gentille* > *gentiment*.

- **Pour les adjectifs en *-ant* ou *-ent* :**
  constant(e) > constamment – intelligent(e) > intelligemment
  Exception : *lent* > ***lentement***.

⚠ Certains adverbes prennent un accent sur le *e* : *précisément, profondément, énormément…*

LES TEMPS ET LES MODES

Le passé récent

On utilise **le passé récent** pour parler d'une action réalisée dans un passé immédiat.
Formation : ***venir de*** + infinitif.
Je **viens de** casser un objet. – Je **viens de** retrouver des objets en bon état.

Le passé composé

- **Emplois**
  Le passé composé permet d'exprimer :
  – une action ponctuelle ou un événement du passé ;
  Il **a revu** Lola.
  – un changement dans le passé.
  Un jour, elle **est partie** sans rien dire.
- **Formation**
  – ***Avoir*** **+ participe passé**
  On n'accorde pas le participe passé avec le sujet.
  j'ai adoré – j'ai fini

  ⚠ Principaux participes passés irréguliers : *vouloir* > *voul**u**, pouvoir* > ***pu**, voir* > *v**u**, lire* > ***lu**, répondre* > *répond**u** ; écrire* > *écri**t**, dire* > *di**t** ; prendre* > *pri**s**, mettre* > *mi**s** ; ouvrir* > *ouver**t** ; être* > *été, avoir* > *eu, faire* > *fait.*

  – ***Être*** **+ participe passé**
  • On utilise *être* avec 14 verbes et leurs dérivés (*naître / mourir, aller / venir, arriver / partir, monter / descendre, entrer / sortir, passer, retourner, rester, tomber*) + les verbes pronominaux.
  • On accorde le participe passé avec le sujet.
  je suis passé(e) – on est resté(e)s – ils sont arrivés / elles sont arrivées – je me suis arrêté(e) – vous êtes venu(e)(s)

L'imparfait

- **Emplois**
  L'imparfait permet d'exprimer :
  – une description au passé (situation, personnes, lieux, sentiments…) ;
  Tom **était** drôle et populaire.
  – une habitude / une action répétitive du passé.
  Ils **faisaient** toujours tout ensemble.
- **Formation**
  Radical de la 1re personne du pluriel au présent + terminaisons ***-ais, -ais, -ait, -ions, -iez, -aient***.
  Exemple : *avoir* au présent > *nous avons*.

j'avais	nous avions
tu avais	vous aviez
il/elle/on avait	ils/elles avaient

⚠ Exception : *être* > *j'étais, tu étais, il/elle/on était, nous étions, vous étiez, ils/elles étaient*.

Le futur proche

On utilise **le futur proche** pour parler d'une action à réaliser dans un futur immédiat.
Formation : ***aller*** + infinitif.
Tu **vas** apprendre à le réparer toi-même.

Le futur simple

On utilise **le futur simple** pour parler de l'avenir, pour faire des prévisions sur l'avenir.

- **Le futur simple des verbes réguliers** : infinitif + terminaisons *-ai, -as, -a, -ons, -ez, -ont*.
  L'eau manquera. – Les enfants grandiront.
- **Le futur simple des verbes en *-re*** : infinitif sans le *e* + les mêmes terminaisons.
  Les poissons disparaîtront peu à peu des océans.
- **Le futur simple des principaux verbes irréguliers** :
  avoir > j'aurai, être > je serai, aller > j'irai, faire > je ferai, pouvoir > je pourrai, voir > je verrai, venir > je viendrai, devoir > je devrai, vouloir > je voudrai, savoir > je saurai, mourir > je mourrai, il faut > il faudra.

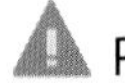 Pour donner une information sur une situation future, on utilise : ***quand*** + **futur simple.**
Tu as peur d'imaginer le monde **quand** tu **seras** adulte ?

Le conditionnel

- **Emplois**
  Il sert à exprimer :
  – un désir : *j'aimerais / je voudrais* ;
  J'**aimerais** voyager.
  – une demande polie : *je voudrais / on voudrait / je pourrais / on pourrait / tu pourrais / vous pourriez* ;
  Je **voudrais** une salade. – On **pourrait** avoir une carafe d'eau ?
  – un conseil / une suggestion : *tu pourrais / devrais, on pourrait / devrait, vous pourriez / devriez.*
  Tu **devrais** te changer les idées ! – Tu **pourrais** acheter un agenda !
- **Formation**
  Radical du futur + **terminaisons de l'imparfait.**
  Exemple : *je pourrai + -ais, -ais, -ait, -ions, -iez, -aient.*
  → Je pourrais, tu pourrais, il/elle/on pourrait, nous pourrions, vous pourriez, ils/elles pourraient.

LES VERBES

Les verbes transitifs directs et indirects

- Un verbe **transitif direct** est suivi d'un complément d'objet direct (COD).
  Exemples : *aimer, adorer, préférer, détester, écouter, énerver, inviter quelqu'un ou quelque chose.*
  J'adore le bowling ! – J'ai invité Marie ce soir.
  COD COD
- Un verbe **transitif indirect** est suivi d'un complément d'objet indirect (COI).
  Exemple : *parler à quelqu'un.*
  Je parle à mes amis.

Un verbe peut être transitif direct et indirect. Exemples : *appeler, donner, raconter, écrire, apprendre, envoyer, dire quelque chose à quelqu'un.*
Je vais te raconter mes vacances.

Les verbes prépositionnels

Ils sont suivis de **la préposition *à* ou *de* + infinitif.**

- **Verbes construits avec *à* + infinitif** : *aider à, commencer à, réussir à, arriver à…*
  Je **n'arrivais pas** à marcher.

- **Verbes construits avec** de **+ infinitif** : *arrêter de, conseiller de, essayer de, décider de, demander de, empêcher de, oublier de, se dépêcher de…*
  J'**ai décidé** de <u>réparer</u> mon vélo.

LA PHRASE ET LA STRUCTURE DU DISCOURS

La phrase négative

Il existe plusieurs types de négations :

– ***ne / n'… pas*** ;
  Avant, les téléphones portables **n'**existaient **pas**.

– ***ne / n'… plus*** ;
  Il y a des choses qu'on **ne** fait **plus**.

– ***ne / n'… jamais*** ;
  Il y a des choses qu'on **ne** faisait **jamais** avant.

– ***ne / n'… personne*** ou ***personne ne / n'*** ;
  Je **ne** connais **personne** qui écrit encore des lettres.
  Il y a des choses que **personne ne** pouvait imaginer en 1990.

– ***ne / n'… rien*** ou ***rien ne / n'***.
  Il y a des objets qui **ne** servent à **rien** aujourd'hui.
  Rien n'est comme avant !

Un, une, des, du, de la > *de / d'* à la forme négative.
On utilise **des** cabines téléphoniques.
> On n'utilise pas / plus / jamais de cabines téléphoniques.

Au passé composé : Je **n'**<u>ai</u> **jamais** <u>utilisé</u> de cabine téléphonique.
Avec un infinitif : On **ne** peut **plus** <u>enregistrer</u> de chansons à la radio.

La mise en relief avec *ce qui* et *ce que*

Les personnages me <u>plaisent</u>.
sujet
> **Ce qui** me <u>plaît</u> dans ce livre, ce sont les personnages.
sujet

J'<u>apprécie</u> **le scénario**.
COD
> **Ce que** j'<u>apprécie</u> dans cette série, c'est le scénario.
COD

Ce que > *ce qu'* devant une voyelle : Ce qu'il montre, c'est un monde trop dur.

La comparaison

- **Le comparatif**
  Il sert à comparer deux éléments (choses, personnes, lieux, actions…). Il permet d'exprimer la supériorité (+), l'infériorité (–) ou l'égalité (=).
  - **Avec un adjectif ou un adverbe** : *plus* (+) / *moins* (–) / *aussi* (=) + <u>adjectif</u> ou <u>adverbe</u>.
    C'est **plus** <u>sympa</u> (**qu'**au self).
    C'est **moins** <u>bien</u> (**que** le self de la cantine) ?
    La nourriture du camion n'est pas **aussi** <u>variée</u> (**qu'**à la cantine).
  - **Avec un nom** : *plus de* (+) / *moins de* (–) / *autant de* (=) + <u>nom</u>.
    On mange **moins d'**<u>aliments surgelés</u> (**qu'**à la cantine).
    Ça a **plus de** <u>goût</u> (**que** la cuisine française).
    Il y a **autant de** <u>monde</u> (**qu'**au self).

  De devient *d'* devant une voyelle.

- **Le superlatif**
  Il sert à exprimer le plus haut degré d'une caractéristique.
  – **Avec un verbe** : verbe + *le plus / le moins*.
  les situations qui te stressent **le plus**
  – **Avec un adverbe** : *le plus / le moins* + adverbe.
  le plus longtemps
  – **Avec un nom** : *le plus* ***de*** */ le moins* ***de*** + nom.
  le plus de sensations fortes
  – **Avec un adjectif** :
  • nom + *le/la/les plus / moins* + adjectif ;
  les sensations **les plus** intenses
  la sensation **la moins** agréable
  • *le/la/les plus / moins* + adjectif* + nom.
  la plus grande peur
  le moins beau tableau

  * avec un adjectif qui se place toujours devant le nom

⚠ La place du superlatif dépend de la place de l'adjectif, mais on peut toujours placer un superlatif après le nom, si on répète l'article : les sensations **les plus** intenses.

- **Comparatifs et superlatifs irréguliers**

	Comparatif (+)	Superlatif
bien	**mieux que** Je trouve ça **mieux** (**que** la cantine).	**le mieux** C'est comme ça que je me sens **le mieux**.
bon(s) / bonne(s)	**meilleur(e)(s) que** La nourriture est **meilleure** (**qu'**à la cantine) !	**le / la / les meilleur(e)(s)** **les meilleures** expériences
mauvais / mauvaise(s)	**pire(s) que** (*ou* **plus mauvais / mauvaise(s) que**) Le temps est **pire qu'**hier.	**le / la / les pire(s)** **les pires** expériences

L'hypothèse : *si* + présent

- **Pour faire une hypothèse dans le présent** : *si* + **présent … présent.**
  Si on **veut** réduire ses déchets, on **doit** arrêter de faire les courses au supermarché !
- **Pour faire une hypothèse avec un résultat futur** : *si* + **présent … futur proche** ou **futur simple.**
  Si chacun **fait** des efforts, on **va pouvoir** / **pourra** sauver le monde.
- **Pour donner un conseil** : *si* + **présent … impératif.**
  Si vous **voulez** voir notre jardin, **allez** sur mon blog !

La cause et la conséquence

- **La cause**
  – ***Parce que*** / ***Car**** + phrase
  On vient ici **parce qu'**il y a un bowling. – C'est notre *escape game* préféré **car*** il est très difficile.
  – ***À cause de*** + pronom tonique ou nom propre
  Il pleure **à cause d'elle** / **à cause de Sophie.**
  – ***À cause du*** / ***de la*** / ***des*** + nom
  Je ne peux pas toujours acheter des mangas **à cause des** prix.
  * surtout utilisé à l'écrit
- **La conséquence**
  – ***Alors*** / ***Donc*** } + phrase.
  – ***C'est pour ça que*** }
  On n'a pas tous ces jeux vidéo chez nous, **alors** on vient ici. – Je peux lire sur place, **donc** je viens souvent.
  C'est notre *escape game* préféré. **C'est pour ça qu'**on a voté pour lui.

Tableau de conjugaisons

	Présent	Passé composé	Imparfait	Futur simple	Impératif
être	je suis tu es il/elle/on est nous sommes vous êtes ils/elles sont	j'ai été tu as été il/elle/on a été nous avons été vous avez été ils/elles ont été	j'étais tu étais il/elle/on était nous étions vous étiez ils/elles étaient	je serai tu seras il/elle/on sera nous serons vous serez ils/elles seront	sois soyons soyez
avoir	j'ai tu as il/elle/on a nous avons vous avez ils/elles ont	j'ai eu tu as eu il/elle/on a eu nous avons eu vous avez eu ils/elles ont eu	j'avais tu avais il/elle/on avait nous avions vous aviez ils/elles avaient	j'aurai tu auras il/elle/on aura nous aurons vous aurez ils/elles auront	aie ayons ayez
s'amuser	je m'amuse tu t'amuses il/elle/on s'amuse nous nous amusons vous vous amusez ils/elles s'amusent	je me suis amusé(e) tu t'es amusé(e) il/elle/on s'est amusé(e)(s) nous nous sommes amusé(e)s vous vous êtes amusé(e)(s) ils/elles se sont amusé(e)s	je m'amusais tu t'amusais il/elle/on s'amusait nous nous amusions vous vous amusiez ils/elles s'amusaient	je m'amuserai tu t'amuseras il/elle/on s'amusera nous nous amuserons vous vous amuserez ils/elles s'amuseront	amuse-toi amusons-nous amusez-vous
finir	je finis tu finis il/elle/on finit nous finissons vous finissez ils/elles finissent	j'ai fini tu as fini il/elle/on a fini nous avons fini vous avez fini ils/elles ont fini	je finissais tu finissais il/elle/on finissait nous finissions vous finissiez ils/elles finissaient	je finirai tu finiras il/elle/on finira nous finirons vous finirez ils/elles finiront	finis finissons finissez
aller	je vais tu vas il/elle/on va nous allons vous allez ils/elles vont	je suis allé(e) tu es allé(e) il/elle/on est allé(e)(s) nous sommes allé(e)s vous êtes allé(e)(s) ils/elles sont allé(e)s	j'allais tu allais il/elle/on allait nous allions vous alliez ils/elles allaient	j'irai tu iras il/elle/on ira nous irons vous irez ils/elles iront	va allons allez
vouloir	je veux tu veux il/elle/on veut nous voulons vous voulez ils/elles veulent	j'ai voulu tu as voulu il/elle/on a voulu nous avons voulu vous avez voulu ils/elles ont voulu	je voulais tu voulais il/elle/on voulait nous voulions vous vouliez ils/elles voulaient	je voudrai tu voudras il/elle/on voudra nous voudrons vous voudrez ils/elles voudront	
venir	je viens tu viens il/elle/on vient nous venons vous venez ils/elles viennent	je suis venu(e) tu es venu(e) il/elle/on est venu(e)(s) nous sommes venu(e)s vous êtes venu(e)(s) ils/elles sont venu(e)s	je venais tu venais il/elle/on venait nous venions vous veniez ils/elles venaient	je viendrai tu viendras il/elle/on viendra nous viendrons vous viendrez ils/elles viendront	viens venons venez